Y0-AQV-477

FRANKENSTEIN

MARY SHELLEY

Frankenstein

Traduction et adaptation de Pierre Ripert
d'après *Frankenstein ou le Prométhée moderne*,
édition revue par l'auteur en 1831.

Texte non intégral. Certains passages ont été supprimés, notamment ceux qui faisaient référence à des œuvres poétiques tombées en désuétude, ainsi que certaines descriptions redondantes de paysages.

Ouvrage réalisé par les
Éditions de la Seine
Direction : Alexandre Falco
Responsable des publications : Françoise Orlando-Trouvé
Responsable édition-fabrication :
Marie-Cécile Jouhaud

INTRODUCTION

Mary Shelley, fille d'un écrivain féministe qui meurt en la mettant au monde en 1797 et d'un essayiste, est délaissée par son père qui confie son éducation à des amis. Elle a 17 ans quand le poète romantique Percy Bysshe Shelley, séduit par sa beauté, l'enlève. Ils se marient deux ans plus tard, après le suicide de la première épouse de Percy, et voyagent en Europe en compagnie d'autres chefs de file du romantisme anglais.

Mary, à la suite d'un pari avec Byron, écrit *Frankenstein* en 1817 et le fait publier l'année suivante. Succès immédiat ; la mode est alors aux histoires de fantômes et de vampires, et de polémiques entre partisans des dogmes bibliques de la Création et tenants de l'évolution des espèces, que l'on commence à percevoir (Darwin va bientôt publier ses premiers travaux).

Pour fuir ses créanciers, le couple Shelley s'installe en Italie l'année suivante. Mary revient à Londres en 1824, mais sans ses deux premiers enfants, morts de maladie, et sans son mari, qui a péri dans le naufrage de sa barque, en Méditerranée.

Elle publie plusieurs romans, historiques ou d'anticipation, écrit des biographies de Machiavel, de Pétrarque, de

Boccace (elle parle le grec, le latin, le français et l'italien), fait publier l'œuvre de son mari et collabore à de nombreux magazines.

Elle meurt à Londres en 1851. En 1831, elle a corrigé la première version de *Frankenstein*, qui a déjà été traduit en Europe, afin de fixer définitivement ce roman devenu mythe (n'est pas Dieu qui veut). Elle ne peut alors prévoir que, réservant un formidable accueil à cette œuvre dont le succès ne se démentira jamais, le public va confondre l'honorable Victor Frankenstein, citoyen suisse, avec sa créature, que Mary Shelley se contente d'appeler le « monstre », sans trop le décrire, et auquel le cinéma va donner une silhouette simiesque et un crâne plat d'où sortent des vis…

Lettre 1 :
À Mme Saville, en Angleterre

Saint-Pétersbourg, 11 décembre 17..

Tu seras heureuse d'apprendre que tes appréhensions étaient vaines, et que, jusqu'à présent, tout va bien. Je suis arrivé ici hier, et mon premier soin est de te rassurer, ma chère sœur, et sur ma santé et sur mon entreprise, au succès de laquelle je crois de plus en plus.

Je suis sous une latitude déjà bien au nord de Londres, et quand je me promène dans les rues de Saint-Pétersbourg, je sens la bise glaciale du nord piquer mes joues, ce qui me vivifie et me réjouit. Peux-tu comprendre cette sensation ? Ce vent, qui vient des régions vers lesquelles je remonte, me donne un avant-goût des glaces qui m'y attendent, et me stimule. J'ai beau me dire que le pôle est l'empire du froid et de la désolation, je me l'imagine comme celui de la beauté. Là-bas, Margaret, le soleil est toujours visible, son large disque affleure l'horizon et répand un éclat perpétuel. Là-bas – si j'en crois les navigateurs qui m'ont précédé –, la neige et la glace dépassées, on navigue sur une mer calme pour atteindre des terres qui surpassent en prodiges et en beauté toutes les régions découvertes jusqu'ici dans le monde habitable. Ces paysages doivent être incomparables, et la plupart des phénomènes célestes sans doute trouver leur explication en ces solitudes inviolées. On peut tout espérer, au pays de l'éternelle lumière. Je pourrai y découvrir la force mystérieuse qui attire l'aiguille des boussoles, observer le ciel. Je vais, en explorant une partie du monde qui n'a jamais été visitée avant moi, assouvir ma curiosité. Ce désir est si fort qu'il m'ôte toute crainte du danger et de la mort, je suis heureux comme un gamin qui dans une barque, avec d'autres garnements, remonte la rivière de ses vacances. Et même si toutes ces suppositions se révélaient fausses, reconnais néanmoins, ma sœur, l'inestimable bénéfice que j'apporterai à l'humanité au cas où je découvrirais, à proximité du pôle, un passage vers ces contrées que nous allons atteindre après tant de mois d'approche, ou au cas où je réussirais à percer le secret de la force magnétique.

Cette expédition a été le rêve de toute mon enfance. J'ai lu avec passion les récits des voyageurs qui ont cherché à atteindre le nord de l'océan Pacifique à travers les mers du pôle. Souviens-toi que la bibliothèque de notre bon oncle Thomas était pleine de ce genre d'ouvrages. Mon éducation a été négligée, pourtant j'aimais passionnément lire et j'étudiais ces livres nuit et jour, et au fur et à mesure que je les lisais, je regrettais la décision que mon père avait prise sur son lit de mort, alors que j'étais encore un enfant, d'interdire à mon oncle de me laisser devenir marin.

Mais je n'ai pas eu trop à en souffrir : j'ai hérité de mon cousin, ce qui m'a permis de concrétiser mes premières passions.

Six ans se sont passés depuis que j'ai pris la décision par laquelle je suis ici. J'ai commencé par habituer mon corps à la fatigue. J'ai embarqué sur des baleiniers en mer du Nord à plusieurs reprises ; je me suis volontairement soumis au froid, à la faim, à la soif, à l'absence de sommeil. Le jour, je travaillais plus dur que n'importe quel marin, et la nuit, j'étudiais les mathématiques, la médecine et la physique, toutes ces sciences qui peuvent être utiles à un marin. À deux reprises, je me suis engagé comme contremaître pour la pêche au Groenland. Et quelle n'a pas été ma fierté lorsque le capitaine m'a proposé le commandement en second de son navire, tant il était satisfait de mes services !

J'aurais pu vivre dans l'aisance mais, à la fortune, j'ai préféré la gloire. Mon courage et ma résolution sont inébranlables, bien que parfois le doute m'effleure. Je vais entreprendre un long et périlleux voyage ; il va me falloir non seulement préserver mon moral, mais aussi stimuler celui des autres, lorsque viendront les épreuves.

C'est la meilleure saison pour voyager en Russie. On glisse rapidement sur la neige en traîneau : le déplacement est beaucoup plus agréable qu'à bord d'une diligence anglaise. Le froid n'est pas excessif pour peu qu'on s'enveloppe de fourrures – un costume que j'ai déjà adopté, car je n'ai pas l'intention de geler sur la route entre Saint-Pétersbourg et Archangelsk.

Je pars pour cette ville dans deux ou trois semaines ; j'ai l'intention d'y louer un bateau, et d'engager, parmi les pêcheurs de baleines, autant de matelots que je le jugerai nécessaire. Je ne compte pas larguer les amarres avant le mois de juin. J'ignore quand je serai de retour. Si je réussis, des mois, des années peut-être s'écouleront avant nos retrouvailles ! Sinon, tu me reverras bientôt – ou jamais.

Adieu, ma chère Margaret. Que le ciel te bénisse et qu'il me protège.

Ton frère affectionné,
R. Walton.

Lettre 2 :
À Mme Saville, en Angleterre

Archangelsk, 28 mars 17..

Que le temps passe lentement ici, entouré que je suis par la glace et par la neige ! J'ai loué un bateau et engagé des matelots qui semblent être des hommes courageux sur lesquels je crois pouvoir compter.

Mais un de mes souhaits n'a pas encore pu être exaucé et c'est pour moi une souffrance. Je n'ai pas d'ami, Margaret : si le succès m'accompagne, personne ne pourra partager ma joie. Si je dois subir des désillusions, qui me réconfortera ? Je pourrai toujours tenir un journal, mais le papier est un pauvre confident.

J'aimerais avoir la compagnie d'un homme qui sympathiserait avec moi et dont le regard répondrait au mien. Tu dois me juger romantique, ma chère sœur, mais j'ai réellement besoin d'un ami. Je n'ai personne auprès de moi qui ait ma culture, des goûts semblables aux miens, et avec lequel je puisse discuter de mes projets. Où trouver un ami capable de réparer les fautes de ton pauvre frère ! Je me suis éduqué moi-même : durant les quatorze premières années de ma vie, je n'ai rien fait d'autre que lire les récits de voyages de l'oncle Thomas. Ensuite, j'ai appris la langue des autres pays. À présent, j'ai vingt-huit ans et, en réalité, je suis moins cultivé que la plupart des garçons de quinze ans. Il est vrai, toutefois, que mes rêves sont autrement plus magnifiques, même s'ils peuvent manquer de cohérence. Oui, j'aurais bien besoin d'un ami assez sensé pour tempérer mes extravagances.

Ce n'est certainement pas dans l'immense océan que je trouverai un ami, ni davantage ici à Archangelsk, parmi les marchands et les marins. Toutefois, on trouve chez ces êtres rudes des sentiments qu'on ne s'attend pas à y rencontrer. Mon lieutenant, par exemple, est un homme aussi courageux que déterminé. Il rêve de gloire, et veut faire carrière. C'est un Anglais et, en dépit de préjugés nationaux et professionnels, il n'est pas aveuglé par son éducation. J'avais fait sa connaissance dans un baleinier ; quand j'ai appris qu'il se trouvait sans emploi dans cette ville, je l'ai engagé aussitôt comme second.

D'un caractère égal, il est connu pour sa gentillesse et son respect de la discipline. Ma jeunesse passée dans la solitude, mes meilleures années vécues sous ton influence, douce et féminine, ont tellement affiné mon caractère que je ne peux pas supporter l'habituelle brutalité qui règne à bord d'un navire : je n'ai jamais cru qu'elle était nécessaire, et lorsque j'ai entendu parler d'un marin réputé pour sa gentillesse, son dévouement et son sens de l'obéissance, j'ai été particulièrement heureux de pouvoir m'attacher ses services. J'ai entendu parler de lui, d'une manière plutôt romanesque, par une dame qui lui doit le bonheur de sa vie. En voici brièvement l'histoire. Il y a quelques années, il aimait une jeune dame russe de peu de fortune, alors qu'il avait pour sa part, grâce à ses prises, amassé énormément d'argent. Le père de la jeune fille était d'accord pour qu'ils se marient. Mais lorsque le jeune homme fit sa déclaration, elle se mit à pleurer, et lui avoua en aimer un autre – un garçon pauvre, raison pour laquelle son père n'avait jamais voulu consentir à cette union. Le jeune homme la rassura et cessa aussitôt de lui faire la cour. Avec son argent, il avait déjà acheté une grande ferme où il comptait passer le reste de ses jours. Il en fit don à son rival et alla jusqu'à lui céder sa fortune pour qu'il puisse acheter du bétail. Là-dessus, il alla trouver le père de la jeune fille et lui demanda d'accepter que sa fille épouse l'homme qu'elle aimait. Le père refusa catégoriquement, estimant qu'il lui avait déjà donné sa parole, et que son honneur lui interdisait de revenir dessus. Aussi le jeune marin quitta-t-il le pays. Il y retourna plus tard, pour y apprendre que celle qu'il aimait s'était finalement mariée.

Mais si j'ai l'air de me plaindre un peu, ne crois pas que je doute. Mes résolutions sont intactes, et j'attends de bonnes conditions pour prendre la mer. L'hiver a été pénible tant il a été rude, mais le printemps s'annonce bien et tout indique que la saison sera remarquablement précoce, si bien qu'il n'est pas impossible que nous partions plus tôt que prévu. Je serai raisonnable : tu me connais assez pour me faire confiance. Si la sécurité des autres est en jeu, je ferai preuve de prudence.

Te reverrai-je prochainement, après avoir traversé des mers immenses et être revenu après avoir doublé le cap le plus au sud de l'Afrique ou de l'Amérique ? Je ne puis espérer un tel bonheur mais je n'ose pas non plus contempler le revers de la médaille. Continue à m'écrire : tes lettres me seront un réconfort nécessaire. Je t'aime tendrement. Souviens-toi de moi avec affection, quand bien même tu ne devrais plus entendre parler de moi.

Ton frère affectionné,
Robert Walton.

Lettre 3 :
À Mme Saville, en Angleterre

7 juillet 17..

Ma chère sœur,

Je t'écris quelques lignes à la hâte pour te dire que je suis en bonne santé – et que je progresse bien dans mon voyage. Cette lettre arrivera en Angleterre par l'intermédiaire d'un marchand d'Archangelsk qui s'en retourne dans sa famille ; il est plus chanceux que moi qui ne verrai peut-être pas mon pays avant plusieurs années. Cependant, tout va bien : mes hommes sont courageux, peu impressionnés par les bancs de glace auxquels nous nous heurtons sans cesse et qui témoignent des dangers des contrées vers lesquelles nous nous avançons. Nous avons déjà atteint une latitude élevée. Ici, c'est l'été, bien qu'il ne fasse pas aussi chaud qu'en Angleterre. Les vents du sud qui nous poussent rapidement vers les rives où je suis impatient d'accoster rendent la température supportable, ce à quoi je ne m'attendais pas.

Aucun fait marquant susceptible jusqu'ici d'être mentionné dans une lettre. Un ou deux coups de vent et un mât brisé, péripéties qu'un marin chevronné ne juge pas utile de rapporter, et je serai très satisfait si rien de pire ne nous arrive pendant notre voyage.

Adieu, ma chère Margaret. Sois-en certaine, par amour pour toi et pour moi, je n'irai pas aveuglément à la rencontre du danger. Obstiné mais prudent, je garderai la tête froide.

Il faudra bien que le succès couronne mes efforts. Jusqu'à ce jour, j'ai tracé un chemin sûr à travers les mers, et les étoiles elles-mêmes sont témoins de ma réussite. J'avance toujours, puisque les éléments, même hostiles, le permettent. Mais je dois finir. Que le ciel te bénisse, ma sœur chérie !

R. W.

Lettre 4 :
À Mme Saville, en Angleterre

5 août 17..

L'événement que nous venons de vivre est si étrange qu'il faut que je te le raconte, même s'il est probable que nous allons nous revoir avant même que cette lettre ne te parvienne.

Lundi dernier (le 31 juillet), notre navire était presque entièrement cerné par la glace ; à peine lui restait-il un espace où flotter. Notre situation était extrêmement dangereuse, d'autant qu'un épais brouillard nous enveloppait. Nous sommes restés sur place, espérant un changement de temps plus favorable.

Vers les deux heures, le brouillard se dissipa et nous aperçûmes autour de nous d'immenses îlots de glace déchiquetés, qui semblaient ne pas avoir de fin. Quelques-uns de mes hommes se mirent à se plaindre, et je commençais aussi à devenir inquiet, quand soudain notre attention fut attirée par un objet bizarre. Nous vîmes un traîneau tiré par des chiens passer au nord, à la distance d'un demi-mile[1]. Une silhouette de forme humaine, mais d'une stature gigantesque, était assise dans le traîneau et guidait les chiens.

1. Le mile anglais est équivalent à 1 609 m. *(N.d.T.)*

Avec nos longues-vues, nous suivîmes la course rapide du voyageur, jusqu'à ce qu'il disparaisse parmi les enchevêtrements de glace. Nous en restâmes abasourdis. La glace qui nous entourait nous interdisait d'en suivre les traces.

Environ deux heures après cette rencontre, nous perçûmes le grondement de la mer, et avant la nuit la glace se rompit et libéra le navire. Mais nous restâmes sur place jusqu'au matin de crainte de heurter dans l'obscurité ces grandes masses de glace brisée qui dérivent. J'en profitai pour me reposer quelques heures.

Au point du jour, je montai sur le pont et trouvai tous les matelots réunis d'un seul côté du navire, comme s'ils parlaient à quelqu'un qui se trouvait dans la mer. En effet, un traîneau semblable à celui que nous avions vu avait dérivé vers nous pendant la nuit, sur un énorme morceau de glace. Un seul chien encore était vivant. Mais il y avait aussi un homme auquel les matelots s'adressaient pour qu'il monte à bord. Ce n'était pas, comme l'autre voyageur avait paru l'être, l'habitant sauvage d'une île inconnue, mais un Européen. En me voyant arriver sur le pont, l'étranger m'adressa la parole en anglais, avec un accent étranger :

— Avant que je monte à bord, dit-il, auriez-vous la bonté de me dire de quel côté vous vous dirigez ?

Comprends mon étonnement en entendant la question de cet homme apparemment épuisé, et à qui mon bateau devait paraître comme un havre digne du paradis terrestre. Je lui répondis toutefois que nous allions en exploration vers le pôle Nord.

Il parut s'en satisfaire et accepta de monter à bord. Mon Dieu, Margaret, si tu l'avais vu ! Ses membres étaient presque gelés et son corps atrocement marqué par la fatigue et la souffrance. Je n'ai jamais vu un homme dans un tel état. Nous nous efforçâmes de le conduire dans la cabine mais, dès qu'il ne fut plus en plein air, il perdit connaissance. Nous le ramenâmes aussitôt sur le pont et, pour le ranimer, nous le frottâmes avec de l'eau-de-vie et lui en fîmes avaler une faible quantité. Peu à peu, il redonna des signes de vie. Nous l'enveloppâmes alors dans des couvertures et nous l'installâmes près du poêle de la cuisine. Progressivement il reprit conscience et accepta un peu de potage pour se revigorer.

Deux jours se passèrent de la sorte, sans qu'il soit capable de parler, et je craignais que ses souffrances ne l'aient rendu fou. Lorsqu'il fut un peu rétabli, je le conduisis dans ma propre cabine et le soignais moi-même, dans la mesure de mes moyens. Je n'ai jamais vu un tel individu : ses yeux ont d'ordinaire une expression sauvage, comme s'il était fou, mais à certains moments, pour peu qu'on soit aimable avec lui, son visage s'illumine de bienveillance. Mais il est généralement mélancolique et dépressif, et parfois il grince des dents, comme s'il n'avait pas le courage de supporter le poids des malheurs qui l'accablent.

Quand il fut dans de meilleures dispositions, j'eus du mal à éloigner de lui les hommes qui brûlaient de lui poser des questions ; je ne voulais pas qu'il soit importuné par leur curiosité, étant donné que l'amélioration de son état mental et physique nécessitait le repos le plus total. Une fois seulement, le second lui demanda pourquoi il était venu de si loin sur la glace avec un équipage aussi insolite. C'est avec une expression de profond chagrin qu'il répondit :

— Pour poursuivre quelqu'un qui me fuyait.

— L'homme que vous poursuiviez voyageait-il de la même façon ?

— Oui.

— Dans ce cas, je crois que nous l'avons vu. La veille du jour où nous vous avons recueilli, nous avons aperçu sur une banquise des chiens qui tiraient un traîneau où un homme était assis.

Cet échange éveilla l'attention de l'étranger et il posa plusieurs questions à propos de la route qu'avait suivie le démon, comme il l'appelait. Par la suite, quand il fut seul avec moi, il dit :

— J'ai dû éveiller votre curiosité, comme celle de ces braves gens, mais vous êtes trop poli pour m'interroger.

— C'est vrai. Ce serait inopportun et inhumain, si j'en juge votre état.

— Et pourtant vous m'avez sauvé d'une situation étrange et périlleuse, vous m'avez généreusement rendu à la vie.

Ensuite, il me demanda si je pensais que la rupture de la glace avait détruit l'autre traîneau. Je lui dis que je ne pouvais pas répondre avec certitude, puisque la glace ne s'était pas brisée avant minuit et qu'auparavant le voyageur avait eu la possibilité de trouver un abri.

À partir de ce moment-là, un regain de vitalité anima le corps délabré de l'étranger. Il retrouva de l'énergie pour monter sur le pont afin de guetter le premier traîneau. Pour l'obliger à rester dans ma cabine car il était beaucoup trop faible pour supporter le froid, je lui promis qu'on ferait le guet et qu'on l'avertirait immédiatement, au cas où l'on apercevrait à nouveau le traîneau.

Depuis, l'homme a progressivement recouvré sa santé, mais il reste très silencieux et donne des signes de confusion lorsqu'un autre que moi entre dans sa cabine. Toutefois, ses manières sont si accommodantes que les marins s'intéressent à son sort, bien qu'ils aient eu peu de rapport avec lui. Pour ma part, je commence à l'aimer comme un frère. Son profond et perpétuel chagrin attise en moi la sympathie et la compassion. Il a été sans aucun doute un homme remarquable à une époque de sa vie, pour rester encore si aimable dans le malheur.

Je disais dans une de mes précédentes lettres, ma chère Margaret, que je ne trouverais pas d'ami sur le vaste océan ; cependant j'ai rencontré un homme que j'aurais été heureux, avant que le malheur ne le brise, d'aimer comme un frère.

Je continuerai de loin en loin mon journal sur l'étranger, si de nouveaux éléments se présentent.

13 août, 17..

Mon affection pour mon hôte augmente chaque jour, comme mon admiration et ma pitié. Quel malheur que de voir quelqu'un d'aussi noble détruit par le chagrin ! Il est délicat et très cultivé ! Quand il parle, il fait preuve d'une facilité et d'une éloquence peu communes.

Il est à présent parfaitement rétabli, et il ne quitte plus le pont, selon toute apparence pour guetter le traîneau qui a précédé le sien. Pourtant, quel que soit son malheur, il s'intéresse aux autres. Il m'a longuement questionné sur mes projets. Comme il m'est sympathique, j'ai laissé parler mon cœur, en lui confiant combien je serais heureux de sacrifier ma fortune, mon existence même, si cela devait contribuer à la réussite de mon entreprise. Mais alors que je parlais avec enthousiasme, une profonde tristesse apparut sur son visage, tandis qu'il essayait de maîtriser son émotion. Il plaça les mains devant ses yeux, pour cacher ses larmes. Il eut un gémissement qui me fit taire. Puis il prit la parole, la voix éteinte :

— Malheureux ! Est-ce que vous partagez ma folie ? Avez-vous bu, vous aussi, ce poison ? Écoutez-moi, laissez-moi vous raconter mon histoire et vous jetterez la coupe loin de vos lèvres !

De telles paroles, comme tu l'imagines, excitèrent fortement ma curiosité, mais il fallut plusieurs heures de repos à l'étranger pour se rétablir, tant la douleur qui l'avait saisi avait annihilé ses forces chancelantes.

Après cette crise violente, il donna l'impression de se maudire pour s'être laissé emporter par la passion ; surmontant son désespoir, il me reparla de quelques sujets qui me tenaient à cœur. Il voulut connaître l'histoire de mon enfance. Le récit en fut court, mais ces confidences en entraînèrent d'autres, et je lui avouai mon besoin d'amitié.

— Je suis d'accord avec vous, me répondit l'étranger, nous sommes des créatures imparfaites, ne vivant qu'à moitié, si un être plus sage et meilleur que nous-même, c'est-à-dire un ami, n'est pas là pour nous aider. Autrefois, j'ai eu pour ami un homme inestimable, et c'est à ce titre que je suis capable de juger la véritable amitié. Vous avez l'espoir en vous et le monde s'ouvre devant vous, vous ne devez désespérer de rien. Mais moi, j'ai tout perdu et je ne peux pas refaire ma vie.

Et tandis qu'il parlait, son visage se voila d'une telle tristesse que j'en eus le cœur meurtri. Puis il se tut et regagna sa cabine.

Malgré son abattement, il apprécie les beautés de la nature. Les étoiles, la mer, tous les spectacles qu'offrent ces régions merveilleuses semblent encore avoir le pouvoir d'élever son âme. L'enthousiasme avec lequel je te décris cet aventurier extraordinaire peut te faire sourire, j'en conviens, mais c'est parce que tu ne peux pas le voir. Toi aussi tu apprécierais les mérites rares de cet homme admirable. J'ai essayé de découvrir la qualité qui domine chez lui et qui le place au-dessus de toutes les autres personnes que j'ai connues. Je crois qu'il s'agit d'un discernement intuitif, un sens du jugement rapide et infaillible, une connaissance précise de la nature des choses. À quoi s'ajoutent une facilité d'expression et une voix aux intonations mélodieuses.

19 août, 17..

L'étranger m'a dit hier :

— Vous l'avez constaté aisément, capitaine Walton, j'ai éprouvé de grands et incomparables malheurs. J'étais décidé d'abord à taire à jamais le souvenir de ces maux, mais vous m'avez fait changer d'avis. Vous êtes en quête de savoir et de sagesse. Je l'ai été aussi. Je souhaite ardemment que l'accomplissement de vos vœux ne devienne pas pour vous, comme ce le fut pour moi, un poison. J'ignore si le récit de mes épreuves pourrait vous être utile. Cependant, lorsque je constate que vous êtes en train de suivre l'itinéraire que j'ai déjà suivi et que vous vous exposez à certains périls qui ne me furent pas épargnés, j'imagine que vous serez en mesure de tirer une morale de mon histoire : elle sera profitable, si vous réussissez. En cas d'échec, ce sera pour vous une consolation. Préparez-vous à entendre des faits qu'on a l'habitude de qualifier de merveilleux. Si nous nous étions trouvés dans un décor moins imposant, j'aurais eu peur de ne pas être cru, voire de vous paraître ridicule. Toutefois les événements qui composent mon histoire portent en eux suffisamment d'authenticité pour que le doute ne soit pas permis.

Tu imagines ma joie à cette proposition. Mais je redoutais qu'elle ne ravive aussi le chagrin et le désespoir de mon hôte. Et pourtant, je brûlais d'entendre le récit promis, moitié par curiosité, moitié parce que j'avais le désir d'améliorer son sort, si cela était dans mon pouvoir. Je le lui dis dans ma réponse.

— Merci pour votre sympathie, me répondit-il, mais ce n'est pas nécessaire. Ma destinée est presque accomplie. Je n'attends plus qu'une seule chose, après quoi je reposerai en paix. Je sais ce qui vous anime, me dit-il encore comme j'allais l'interrompre, mais vous vous méprenez, mon ami, si je puis me permettre de vous appeler ainsi.

Rien ne peut changer ma destinée. Écoutez mon histoire et vous comprendrez pourquoi.

Il me dit alors qu'il commencerait son récit le lendemain, dès que j'aurais le temps de l'écouter. Je décidai de consigner chaque soir, dès que j'en aurais le loisir, ce qu'il m'aurait raconté dans la journée, de la façon la plus exacte possible. Si je suis trop pris, je rédigerai au moins quelques notes. Ce manuscrit vous procurera sans doute grand plaisir ; pour ma part, moi qui ai connu cet homme et qui ai entendu son récit de ses propres lèvres, ce ne pourra être qu'avec intérêt et sympathie que je le relirai plus tard ! Même aujourd'hui, alors que je commence ma tâche, sa voix expressive sonne à mes oreilles, ses yeux brillants me regardent de toute leur tristesse.

Chapitre 1

Je suis né à Genève dans une famille honorablement connue. Mon père a occupé dans la Confédération plusieurs fonctions officielles. Il était respecté par tous pour son intégrité et son dévouement au bien public. D'être constamment absorbé par les affaires de son pays durant sa jeunesse l'empêcha de se marier tôt et ce ne fut que sur le déclin de sa vie qu'il se maria et devint père de famille.

Parmi ses amis intimes, il y avait un négociant qui, après avoir connu la fortune, tomba dans la pauvreté, à la suite de quelques opérations malheureuses. Cet homme, nommé Beaufort, était un être orgueilleux et inflexible : il ne put se faire à l'idée de vivre pauvre et oublié dans le pays même où il avait brillé autrefois par sa richesse et sa puissance. Il paya ses dettes et se retira avec sa fille à Lucerne où il vécut dans l'oubli et la misère.

Mon père aimait beaucoup Beaufort et il fut fort affecté par cette retraite. Il regretta le faux orgueil de son ami et partit à sa recherche dans le but de le persuader de reprendre son commerce.

Beaufort avait pris toutes les mesures nécessaires pour se cacher et ce ne fut qu'au bout de dix mois que mon père découvrit sa retraite. C'est heureux qu'il se rendit dans sa maison située dans une ruelle, près de la Reuss. Mais lorsqu'il y entra, il y trouva misère et désespoir. Beaufort n'avait sauvé de son naufrage qu'une faible somme d'argent qui devait suffire pour subsister quelques mois ; il espérait alors obtenir un emploi chez un négociant. Dans l'intervalle, il resta donc inactif, ce qui ne fit qu'attiser son chagrin car il avait eu tout le temps de réfléchir aux revers qu'il avait essuyés. Au bout de trois mois, il était devenu si apathique qu'il devait garder le lit, n'ayant plus la force de se lever.

Sa fille Caroline prit soin de lui, constatant avec désespoir que leurs faibles ressources diminuaient rapidement. Par bonheur, elle possédait une volonté peu commune et l'adversité décupla son courage. Afin de gagner de quoi subvenir aux besoins essentiels, elle tressa de la paille.

Plusieurs mois se passèrent ainsi. L'état de son père empirant, elle consacrait la plus grande partie de son temps à le soigner, tandis que ses ressources s'épuisaient. Dix mois plus tard, Beaufort mourut dans ses bras, la laissant orpheline et démunie. Elle était agenouillée en larmes, devant le cercueil, lorsque mon père entra dans la chambre. Il apparut à la pauvre fille comme un ange protecteur et elle se confia à lui. Après l'enterrement de son ami, il la conduisit à Genève et la plaça sous la protection d'un parent. Deux ans plus tard, Caroline Beaufort devenait sa femme.

Il y avait, entre mes parents, une grande différence d'âge, mais cela parut renforcer les liens d'affection et de dévouement qui les unissaient. Mon père avait un tel sens de la justice qu'il n'aurait pu aimer une personne pour laquelle il n'aurait pas eu d'estime. Son attachement pour ma mère était fait d'une gratitude et d'une adoration que l'âge ne peut seul expliquer : il respectait ses qualités, sa nature douce et bienveillante, et s'efforçait de lui faire oublier les peines qu'elle avait endurées. Il cherchait à la protéger, comme un jardinier protège une plante exotique contre les intempéries, et multipliait les attentions. La santé de ma mère avait été fortement ébranlée par le malheur. Mon père, durant les deux années qui avaient précédé son mariage, avait progressivement abandonné ses fonctions publiques, et aussitôt après leur union, mes parents gagnèrent l'Italie. Le changement de décor et le plaisir de voyager dans un pays aussi merveilleux devaient rendre la santé à ma mère.

Après l'Italie, ils visitèrent l'Allemagne et la France. Moi, leur premier enfant, je naquis à Naples ; malgré mon jeune âge, je les accompagnai dans leurs périples. Je fus enfant unique durant plusieurs années. Les tendres caresses de ma mère, les sourires généreux de mon père inondent mes premiers souvenirs. Ma vie avec eux fut une succession de jours heureux.

Pendant longtemps, je fus l'unique objet de leurs soins. Ma mère désirait beaucoup avoir une fille, mais je continuais à être leur seul enfant. Vers ma cinquième année, nous fîmes un voyage au-delà de la frontière italienne pour passer une semaine sur les bords du lac de Côme. Mes parents rendaient souvent visite à de pauvres gens. Ma mère se souvenait de ce qu'elle avait elle-même enduré et se sentait obligée de devenir à son tour un ange consolateur. Au cours d'une promenade, elle remarqua, au fond d'un vallon, une masure délabrée autour de laquelle de nombreux enfants en haillons jouaient. Mon père s'étant rendu à Milan, ma mère m'emmena visiter ce taudis.

Elle y trouva un paysan et sa femme, des gens qui travaillaient dur pour nourrir, malgré leur misère, cinq enfants affamés. L'un d'entre eux attira plus particulièrement l'attention de ma mère. C'était une petite fille qui semblait appartenir à un autre monde. Alors que les quatre autres étaient de robustes petits aux yeux foncés, elle était mince et blonde. Ses cheveux étaient si brillants qu'ils semblaient, en dépit de la pauvreté des vêtements, couronner sa tête. Son front était calme et dégagé, ses yeux bleus et limpides, les traits de son visage reflétaient une sensibilité, une douceur telles qu'en les apercevant on ne pouvait pas s'empêcher de penser à un ange envoyé par le ciel.

La paysanne, s'apercevant que ma mère regardait avec émerveillement cette jolie petite fille, lui raconta son histoire. Ce n'était pas son enfant mais la fille d'un noble milanais. La mère, une Allemande, était morte en lui donnant le jour. L'enfant avait été placée chez ces braves gens, à une époque où ils jouissaient d'une meilleure situation. Eux-mêmes étaient mariés depuis peu et leur premier bébé venait de naître. Quant au père de la fillette, c'était un patriote italien qui combattait pour l'indépendance de son pays. Il avait été la victime de son courage et l'on ne savait trop s'il était mort ou s'il croupissait toujours dans une prison autrichienne. Ses biens avaient été confisqués et c'est pourquoi sa fille était orpheline et pauvre. Elle avait vécu auprès de ses parents d'adoption et elle avait grandi dans cette masure, un peu comme une rose de serre au milieu de ronces.

Quand mon père revint de Milan, il trouva, jouant à mes côtés dans le vestibule de notre demeure, une enfant plus belle qu'un chérubin, dont le regard irradiait, aux mouvements gracieux. Cette apparition fut rapidement expliquée. Avec son accord, ma mère persuada les paysans qui la gardaient de lui confier la charge de l'enfant. Ils l'aimaient certes et pour eux elle avait été une bénédiction. Mais ils comprirent qu'il n'était pas juste de la laisser dans la pauvreté au moment où la Providence lui assurait une meilleure protection. Ils consultèrent le curé du village, et il fut décidé qu'Élisabeth Lavenza viendrait habiter la maison de mes parents. Elle fut pour moi plus qu'une sœur : une délicieuse compagne de jeux et d'études.

Tout le monde adorait Élisabeth. L'attachement passionné que chacun lui vouait et qui m'animait aussi était mon orgueil et mon ravissement. La veille de son arrivée, ma mère m'avait dit, comme si elle plaisantait : « J'ai un joli cadeau pour mon Victor. Il le recevra demain. » Et c'est pourquoi, lorsqu'elle me présenta le lendemain Élisabeth comme le cadeau promis, je pris ses propos à la lettre, avec la gravité de l'enfance, et la considérai comme mienne – afin de la protéger et de l'aimer. Les louanges qu'on lui adressait, je considérais qu'elles m'étaient destinées. Nous nous appelions familièrement cousin et cousine. Aucun mot ne pourrait traduire l'amitié qu'elle me portait – elle qui était plus que ma sœur et que je voulais à moi jusqu'à la mort.

Chapitre 2

Nous avons été élevés ensemble. Il n'y avait même pas un an de différence entre nous. Inutile de préciser qu'il n'y avait entre nous ni dissension ni dispute. L'harmonie la plus totale régnait, et la diversité de nos caractères nous rapprochait davantage l'un de l'autre. Élisabeth était plus calme, plus appliquée que moi. J'étais plus fougueux, mais pouvais néanmoins mieux me concentrer et, à l'inverse d'elle, j'étais avide de connaissance. Elle se passionnait pour la poésie et s'enchantait de la contemplation des merveilleux paysages suisses, autour de notre demeure ; les dentelles sublimes des montagnes, le changement des saisons, la succession du calme et de la tempête, le silence de l'hiver et la turbulence des étés alpins, tout l'émerveillait. Le monde était un secret que je voulais percer. La curiosité, la quête obstinée des lois cachées de la nature, la joie proche de l'extase qui m'envahissait lorsque je pouvais en découvrir quelques-unes sont parmi les premières sensations dont je me souvienne.

À la naissance d'un deuxième fils, mon cadet de sept ans, mes parents abandonnèrent leur vie itinérante pour se fixer dans leur pays natal. Nous possédions une maison à Genève et une maison de campagne à Bellerive, sur la rive est du lac, à presque une lieue[2] de la ville. Nous résidions là la plupart du temps, mes parents préférant mener une existence recluse. D'instinct, je fuyais la foule pour ne m'attacher qu'à quelques personnes. J'étais d'ordinaire indifférent envers mes camarades d'école, sauf avec l'un d'entre eux, qui était devenu mon ami. Henri Clerval, le fils d'un commerçant de Genève, était un garçon extrêmement doué et imaginatif. Il aimait le risque et les dangers. Il avait lu de nombreux livres de chevalerie, composait des chants héroïques et il avait même commencé à écrire des contes surnaturels et des récits d'aventures. Il essayait de nous faire jouer dans des pièces dont les personnages étaient inspirés par les héros de la Chanson de Roland, de la Table ronde, et par les chevaliers qui ont répandu leur sang afin de délivrer le Saint-Sépulcre des infidèles.

Personne n'aurait pu avoir une enfance plus heureuse que la mienne. Mes parents étaient au plus haut point attentionnés et indulgents. Quand il m'arrivait de côtoyer d'autres familles, je comprenais combien mon sort était enviable, et cela ne faisait qu'augmenter ma gratitude. J'étais parfois d'humeur violente et nourrissais des passions démesurées. Par tempérament, je n'étais pas porté vers les jeux d'enfant, mais vers le désir d'apprendre. Ce n'étaient ni les langues, ni l'histoire, ni la politique que je voulais connaître, mais les secrets du ciel et de la terre, les secrets physiques de l'univers.

Dans le même temps, Clerval, lui, s'occupait, pour ainsi dire, de la relation morale des choses. Il se passionnait pour les tumultes de la vie, les vertus des héros, les actions des hommes et espérait devenir, un jour, l'un de ces aventureux bienfaiteurs de l'humanité dont l'histoire conserve le nom. Et au-dessus de nous, comme la flamme d'un sanctuaire,

2. Une lieue correspondait à 4 km environ. (*N.d.T.*)

brillait dans notre paisible demeure l'âme sainte d'Élisabeth. Son sourire, sa voix exquise, le doux éclat de ses yeux célestes étaient toujours présents pour nous inspirer. Elle était l'image vivante de l'amour qui apaise et qui charme. Les études auraient peut-être pu me rendre maussade et l'ardeur de mon tempérament aurait pu aviver chez moi la brutalité, si Élisabeth n'avait pas été là pour me communiquer sa propre douceur. Et Clerval – mais une pensée mauvaise pouvait-elle lui effleurer l'esprit ? – n'aurait pas été si généreux, si plein de tendresse en dépit de ses goûts aventureux, si Élisabeth ne lui avait pas révélé les véritables valeurs du bien et ne lui avait pas fait comprendre que celles-ci devaient guider toutes ses ambitions.

J'ai plaisir à évoquer mes souvenirs de jeunesse, alors que le malheur n'avait pas encore souillé mon esprit.

C'est la physique qui a eu raison de mon destin. Je désire donc, dans ce récit, établir les faits qui ont inspiré ma prédilection pour cette science. J'avais treize ans lorsque nous fîmes tous une excursion dans une station thermale proche de Thonon. Le mauvais temps nous obligea à rester une journée entière à l'intérieur de l'auberge et, par hasard, j'y dénichais un volume des œuvres de Cornelius Agrippa. Je l'ouvris avec indifférence, mais la théorie qu'il s'efforce de démontrer et les faits prodigieux qu'il rapporte ne tardèrent pas à m'enthousiasmer. Une lumière nouvelle sembla éclairer mon esprit.

Je fis part de ma découverte à mon père. D'un air détaché, il considéra le titre du livre avant de dire :

– Ah ! Cornelius Agrippa ! Mon cher Victor, ne perds pas ton temps. C'est sans intérêt !

Si, au lieu de cette remarque, mon père avait pris la peine de m'expliquer que les théories d'Agrippa avaient été délaissées et qu'on avait introduit depuis un nouveau système scientifique fondé sur la réalité et la pratique et non plus sur des considérations extravagantes, j'aurais certes rejeté Agrippa et m'en serais retourné, avec une ardeur nouvelle, à mes études antérieures. Il est même possible que le cours de mes idées n'aurait jamais reçu la fatale impulsion qui m'a conduit à la ruine. Mais le simple coup d'œil de mon père en direction du livre m'avait fait croire qu'il n'en connaissait peut-être pas le contenu. Aussi continuai-je à le lire avec avidité.

Lorsque je fus de retour à la maison, mon premier soin fut de me procurer toutes les œuvres de cet auteur puis celles de Paracelse et d'Albert le Grand. J'étudiai avec délice les fantasmagories de ces écrivains, croyant qu'en dehors de moi peu de gens en connaissaient les trésors. Je le répète, j'étais possédé du brûlant désir de pénétrer les secrets de la nature. On a prétendu que sir Isaac Newton se comparait à un enfant qui ramasse des coquillages sur le rivage du gigantesque océan inexploré de la vérité. Même ses successeurs m'apparaissaient comme des profanes, incapables d'accomplir leur tâche de chercheurs de vérité.

Le paysan inculte contemple les éléments qui l'entourent, et sait les utiliser à des fins pratiques. Le physicien le plus savant n'en sait pas davantage. Il dévoile partiellement le visage de la Nature, mais ses traits les plus singuliers restent un secret et un mystère. Il est à même de disséquer, d'analyser, de donner des noms, mais il ignore les causes secondaires et tertiaires. J'avais contemplé les fortifications et les obstacles qui semblaient interdire aux hommes d'accéder à la citadelle de la nature et, parce que j'étais ignorant, j'avais perdu patience.

Et pourtant il y avait ces livres, il y avait ces hommes qui avaient été plus loin et qui en savaient davantage. J'acceptai leurs hypothèses comme des certitudes et je devins leur disciple. Il peut paraître étrange que cela se produise au dix-huitième siècle : alors que je suivais l'enseignement routinier des écoles de Genève, je devenais, dans mes matières favorites, un autodidacte. Comme mon père n'était pas un scientifique, je dus satisfaire tout seul, ainsi qu'un enfant aveugle, ma soif de savoir. Sous l'inspiration de mes nouveaux précepteurs, je me livrai ardemment à la recherche de la pierre philosophale et de l'élixir de vie. Ce dernier surtout retenait mon attention. Je le préférai à la richesse, ne pensant qu'à la gloire que m'apporterait ma découverte, si je réussissais à chasser la maladie du corps humain, à rendre l'homme invulnérable à tout, si ce n'est à la mort violente !

Ce ne furent pas mes seules visions. L'apparition de fantômes et de démons m'était largement promise par mes auteurs favoris et je les recherchais avec avidité. Mes incantations restant vaines, j'en attribuais la faute plutôt à mon inexpérience et à mon ignorance qu'à un manque d'habileté ou de savoir-faire chez mes maîtres. Et c'est ainsi que je m'absorbai dans l'étude de systèmes périmés, mêlant, en profane, une foule de théories contradictoires, pataugeant lamentablement dans un bourbier de connaissances incomplètes, sans autre guide que mon imagination et mes raisonnements puérils, et ce jusqu'à ce qu'un accident vienne modifier le cours de mes idées.

Vers ma quinzième année, alors que nous nous trouvions dans notre propriété de Bellerive, nous fûmes témoins d'un orage d'une violence terrible. Il venait du Jura, précédé de vibrants coups de tonnerre qui retentissaient de partout à la fois. Fasciné par ce phénomène, j'en observai, tant que dura l'orage, l'évolution. Alors que je me tenais sur le seuil de la maison, je vis soudain un tourbillon de feu jaillir d'un vieux chêne, dressé à une vingtaine de pas. À peine l'aveuglante lumière cessa-t-elle de briller que le chêne avait disparu ; ce n'était plus qu'un tronc calciné. Le lendemain, nous allâmes le voir ; ce fut pour découvrir un arbre terrassé d'une étrange façon. Il n'avait pas été fendu par le choc mais avait été entièrement réduit en petits copeaux de bois. Je n'avais jamais rien vu qui fût à ce point détruit.

Avant cet événement, j'ignorais tout des lois les plus élémentaires de l'électricité. Il se trouve qu'un physicien réputé était alors avec nous. Prenant prétexte de l'événement, il se mit en devoir de nous expliquer sa propre théorie sur l'électricité et le galvanisme : elle m'étonna considérablement. Tout ce qu'il disait rejetait dans l'ombre Cornelius Agrippa, Albert le Grand et Paracelse, les maîtres de mon imagination. Devant la faillite de leurs théories, je délaissai mes recherches habituelles. Tout ce qui m'avait si longtemps fait rêver devenait brusquement méprisable. Par un de ces caprices de l'esprit fréquents chez les jeunes, j'abandonnai mes anciens travaux, considérant l'histoire naturelle et tout ce qui en découlait comme des créations fausses et stériles, montrant le plus grand dédain pour cette prétendue science qui ne pouvait même pas dépasser le stade du vrai savoir. Je me tournai vers les mathématiques et les branches annexes, lesquelles me semblaient, elles, construites sur des bases solides, donc dignes de ma considération.

Comme nos âmes sont étrangement construites, comme sont fragiles les liens qui nous attachent à la prospérité et à la ruine ! Quand je regarde derrière moi, il me semble que le changement miraculeux de mes dispositions a été provoqué par mon ange gardien ; c'est le dernier effort suscité par l'instinct de conservation pour prévenir l'orage suspendu au-dessus de ma tête, prêt à fondre sur moi. D'abandonner ces travaux qui m'avaient causé tant de tourments me fit recouvrer la tranquillité et la paix de l'âme. Et c'est ainsi que j'associai l'idée du mal à la poursuite de mes travaux et celle du bien à leur abandon. Ce retour vers l'esprit du bien fut pourtant inefficace. La destinée était trop puissante, et selon ses lois immuables ma totale destruction avait été décrétée.

Chapitre 3

Comme je venais d'avoir dix-sept ans, mes parents décidèrent de me faire étudier à l'université d'Ingolstadt. J'avais jusqu'alors suivi les cours des écoles de Genève, mais mon père estima nécessaire, pour que mon éducation soit complète, de me faire connaître d'autres usages que ceux de mon pays natal. Peu avant le jour fixé pour mon départ se produisit le premier malheur de ma vie – le présage, en quelque sorte, de ma future misère.

Élisabeth avait attrapé la scarlatine. Sa maladie était grave et ma cousine courait le plus grand danger. Pendant le temps de la maladie, on avait par tous les moyens tenté de persuader ma mère de ne pas se rendre à son chevet. D'abord, elle avait cédé à nos instances mais, lorsqu'on lui avait appris que le mal empirait, elle n'avait pu contrôler son anxiété et avait tenu à soigner elle-même Élisabeth jusqu'à ce qu'elle finisse par triompher de la fièvre : Élisabeth était sauvée. Mais les conséquences de cette imprudence lui furent fatales. Trois jours plus tard, ma mère tomba malade. Sa fièvre s'accompagnait de symptômes alarmants et, rien qu'à voir le visage des médecins, on sut qu'il fallait redouter le pire. Sur son lit de mort, elle avait encore tout son courage et toute sa bonté. Elle joignit les mains d'Élisabeth aux miennes.

— Mes enfants, dit-elle, votre union aurait été pour moi mon plus grand bonheur. Ce sera là à présent la consolation de votre père. Élisabeth, ma chérie, tu me remplaceras auprès de mes plus jeunes enfants. Je regrette d'être séparée de vous. Heureuse et comblée comme je l'étais, comment n'aurais-je pas quelque peine de vous quitter ? Je vais m'efforcer de me résigner à la mort et je souhaite de nous revoir, tous, dans un autre monde.

Elle mourut paisiblement. Je ne décrirai pas la douleur de ceux dont les liens les plus chers sont ainsi rompus, le désespoir qui marque les visages. Il faut du temps avant de se rendre compte que celui qu'on aimait, que l'on voyait chaque jour près de soi n'existe plus, que sa douce voix familière ne vibre plus à nos oreilles. Puis il arrive un moment où le chagrin est plus un souvenir qu'une nécessité et où le sourire, pour sacrilège qu'il soit, revient illuminer les lèvres. Ma mère était morte, mais il était de notre devoir de continuer de vivre et de nous aimer mutuellement, tant qu'un seul d'entre nous serait encore vivant, épargné par la mort.

Mon départ pour Ingolstadt, différé par ces événements, fut à nouveau décidé. J'obtins de mon père un ajournement de quelques semaines. Il me semblait sacrilège d'abandonner le calme de notre maison endeuillée pour me précipiter si vite dans les mêlées de la vie. J'avais de la peine à quitter les miens et, par-dessus tout, je voulais continuer à consoler ma douce Élisabeth.

Elle dissimulait son chagrin et s'efforçait de nous réconforter. Elle se dévouait totalement pour ceux qu'elle appelait son oncle et ses cousins. Jamais elle n'avait été plus charmante qu'en ces moments de peine ; ses sourires semblaient des rayons de soleil. Dans les efforts qu'elle déployait pour nous faire oublier le nôtre, elle oubliait son propre chagrin.

Le jour de mon départ arriva enfin. Clerval passa chez nous la dernière soirée. Il avait essayé d'obtenir de son père la permission de m'accompagner et de devenir mon camarade d'étude, mais en vain. Le père de Clerval était un commerçant borné qui ne voyait dans les aspirations et les ambitions de son fils que paresse et ruine. Henri souffrait d'être privé d'une éducation libérale. Il n'en parla guère mais, comme nous bavardions, je devinais dans le feu de son regard la ferme résolution de ne pas se laisser enchaîner aux médiocrités d'un commerce.

Il était tard. Nous ne pouvions nous séparer l'un de l'autre, ni nous décider à nous dire adieu. On le fit pourtant, et ce fut sous le prétexte de prendre du repos, chacun croyant ainsi tromper l'autre. Mais au lever du jour, quand j'allais pour monter dans la voiture qui devait m'emmener, ils étaient tous là, mon père pour me bénir, Clerval pour me serrer la main une fois encore, mon Élisabeth pour me supplier de nouveau d'écrire souvent.

Je me jetai dans la voiture et m'abandonnai à la mélancolie. Moi qui n'avais toujours eu autour de moi que des compagnons aimables, je me retrouvais à présent seul. À l'université où je me rendais, je devrais choisir moi-même mes amis et me protéger seul. Jusque-là, la vie familiale m'avait tant préservé que tout autre mode d'existence me répugnait. J'aimais mes frères, Élisabeth et Clerval, et me croyais incapable de supporter la compagnie d'étrangers. Puis, chemin faisant, je repris courage et espoir. Je souhaitais ardemment acquérir de nouvelles connaissances. Souvent, à la maison, je m'étais dit qu'il aurait été pénible de passer toute sa jeunesse au même endroit et j'avais rêvé de découvrir le monde, de me faire une place dans la société. Maintenant, mes désirs allaient s'accomplir ; alors à quoi bon se désespérer ?

Le voyage à Ingolstadt fut long et pénible. Enfin, je distinguai le haut clocher blanc de la ville. Je descendis de voiture et me fis conduire à mon appartement solitaire afin d'y passer la soirée.

Le lendemain matin, je remis mes lettres d'introduction et rendis visite à quelques-uns des principaux professeurs. Le hasard – ou plutôt l'Ange de la Destruction qui affirma sa toute-puissance sur mon être dès que je quittai la maison de mon père – me fit d'abord aller chez M. Krempe, le professeur de physique. C'était un homme rude et profondément imbu des secrets de la science. Il me posa de nombreuses questions sur les différentes branches scientifiques qui ont trait à la physique. D'un air indifférent et quelque peu dédaigneux, je lui citai les noms de mes alchimistes que j'avais étudiés. Le professeur me regarda fixement :

— Avez-vous, dit-il, réellement perdu votre temps à étudier de telles absurdités ?

Je lui répondis par l'affirmative.

— Chaque minute, poursuivit M. Krempe avec vivacité, chaque seconde que vous avez gaspillée sur ces livres est définitivement perdue. Vous avez chargé votre mémoire de systèmes périmés et de noms inutiles. Grand Dieu ! Dans quel désert avez-vous vécu ? Personne n'a donc été assez bon pour vous informer que ces rêves que vous avez nourris sont vieux de mille ans et parfaitement ineptes ? Je ne m'attendais guère à trouver dans ce siècle éclairé un disciple d'Albert le Grand et de Paracelse. Mon cher monsieur, vous devez entièrement recommencer vos études.

Après avoir parlé, il s'écarta de moi et se mit à dresser une liste de livres, en m'invitant à les acquérir. Au moment de prendre congé de moi, il m'annonça qu'au début de la semaine prochaine il ouvrirait un cours de physique et que M. Waldman, son collègue, en donnerait un de chimie, en alternance avec le sien.

Je rentrai chez moi, nullement déçu, car il y avait longtemps que je tenais pour périmés les auteurs que le professeur avait réprouvés avec tant de force, et je n'avais pas envie de les étudier de nouveau. M. Krempe était un petit homme trapu, à la voix rude et au visage repoussant. Ce qui ne me disposait pas à partager ses travaux. J'avais négligé les découvertes des chercheurs modernes au bénéfice de rêves d'alchimistes oubliés. Je méprisais les concepts de l'actuelle physique qui se désintéressait des secrets de l'immortalité et du pouvoir. À présent les choses avaient changé. On me demandait d'échanger des chimères d'une infinie grandeur contre des réalités de petite valeur !

Ce furent là mes réflexions durant les deux ou trois premiers jours de mon installation à Ingolstadt, alors que je cherchais à me faire connaître des habitants du quartier. Au début de la semaine suivante, les paroles de M. Krempe sur mes lectures me revinrent à l'esprit. Je n'avais pas l'intention d'aller suivre les cours de ce vaniteux personnage, mais je me souvins de ce qu'il avait dit de M. Waldman que je n'avais pas vu jusqu'alors.

Par curiosité autant que par désœuvrement, je me rendis dans la salle des cours, où M. Waldman entra peu après. Il ne ressemblait pas à son collègue : il devait avoir la cinquantaine et son visage était empreint d'une grande bienveillance. Il avait les tempes grisonnantes, mais des cheveux noirs. Il était petit, droit et avait une voix douce. Il commença son cours en récapitulant l'histoire de la chimie et les découvertes de plusieurs savants dont il cita le nom avec ferveur. Puis il donna un tableau rapide de l'état actuel de la science et expliqua certains termes élémentaires. Après avoir procédé à quelques expériences préparatoires, il fit le panégyrique de la chimie moderne en des termes que je n'oublierai jamais.

— Les anciens maîtres de cette science, dit-il, promettaient des choses impossibles et n'accomplissaient rien. Les maîtres modernes, eux, ne promettent rien : ils savent que les métaux ne peuvent pas se transmuter et que l'élixir de vie est une chimère. Mais ces physiciens dont les mains ne semblent faites que pour remuer la boue et dont les yeux ne servent qu'à observer à travers un microscope ou un creuset ont néanmoins accompli des miracles. Ils dévoilent les secrets de la nature et en montrent tous les détails. Ils ont accédé au firmament. Ils ont découvert la circulation sanguine et analysé l'air que nous respirons. Ils ont acquis des pouvoirs nouveaux et presque illimités, ils ont dompté la foudre, imité les séismes et bravé les ombres du monde invisible.

Telles furent les paroles du professeur – ou plutôt, devrais-je dire, telles furent les paroles du Destin, prononcées pour me détruire. Tandis qu'il parlait, toutes les fibres de mon être se mettaient à vibrer une par une, et bientôt mon esprit ne fut plus rempli que d'une seule pensée, que d'un seul dessein. Voilà ce qui a été fait, me disais-je, mais moi je ferai plus, beaucoup plus. Sur cette voie déjà tracée, je tracerai une nouvelle route, j'explorerai des pouvoirs inconnus et j'irai révéler au monde les plus profonds mystères de la création.

Cette nuit-là, je ne pus fermer les yeux. J'avais les nerfs à vif, je me sentais remué de toutes parts. Je savais que l'ordre surgirait du chaos, mais je ne parvenais pas à le faire jaillir. Peu à peu, alors que l'aube se levait, je me calmai et, à mon réveil, les pensées de la nuit me parurent un rêve. Seule demeurait la résolution de poursuivre mes anciennes études et de me consacrer à une branche pour laquelle je me sentais particulièrement doué. Ce même jour, je rendis visite à M. Waldman. Ses manières dans le privé étaient plus courtoises, plus affectueuses encore qu'en public. Si, en donnant ses cours, il restait digne, dans son propre foyer il se laissait aller à une grande affabilité. Je lui exposai rapidement les anciennes recherches que j'avais poursuivies. Il écouta attentivement mon petit discours et sourit à l'énoncé des noms de Cornelius Agrippa et de Paracelse, mais sans afficher le mépris de M. Krempe.

— C'est au zèle infatigable de ces hommes, me dit-il, que les savants d'aujourd'hui doivent les fondements de leurs connaissances. C'est par leur tâche que la nôtre a été facilitée : établir une nomenclature et la classification adéquate des faits qu'ils ont pour une large part mis en évidence. Les travaux de ces hommes de génie, même entrepris dans de fausses directions, ont en fin de compte été nettement bénéfiques.

J'écoutai cet exposé avant de lui avouer que son cours avait dissipé mes préjugés contre les chimistes modernes. Je m'exprimai en des termes mesurés, avec la modestie et la déférence dues par un jeune homme à son maître, sans laisser apparaître mon enthousiasme pour mes travaux futurs. Puis je lui demandai son avis sur les livres que j'avais à me procurer.

— Je suis ravi, me dit M. Waldman, de m'être fait un disciple, et si votre application égale votre habileté, je ne doute pas de votre succès. La chimie est la branche des sciences naturelles dans laquelle on a fait et pourra faire le plus de progrès. Je m'y suis consacré entièrement mais je n'ai pas non plus négligé les autres branches : on serait un bien médiocre chimiste si on ne s'adonnait qu'à cette seule partie des connaissances humaines. Si vous êtes animé du désir de devenir un vrai savant, et non seulement un faiseur d'expériences, je vous engage à étudier tous les secteurs des sciences naturelles, y compris les mathématiques.

Il m'introduisit alors dans son laboratoire et m'y expliqua l'usage des différents instruments. Il me désigna tous ceux que je devais me procurer et me promit aussi de me prêter les siens, dès que j'aurais assez d'expérience pour ne pas en détériorer les mécanismes. Il me fournit la liste des livres que je lui avais réclamée et je pris congé de lui.

Ainsi s'acheva ce jour mémorable qui devait décider de mon avenir.

Chapitre 4

À dater de ce jour, je me consacrai presque exclusivement à l'étude des sciences naturelles et surtout à celle de la chimie. Je lus avec passion les ouvrages relatifs à cette science rédigés par des savants modernes, je suivis les cours et fréquentai les maîtres de l'université. Je reconnus même en M. Krempe beaucoup de bon sens et une large érudition, même si sa physionomie et ses allures restaient rébarbatives. Mais ses qualités intellectuelles n'en étaient pas affectées. M. Waldman se révéla un véritable ami. Sa douceur excluait tout dogmatisme et son enseignement était dispensé avec franchise et naturel, sans la moindre pédanterie. De mille et une façons, il m'ouvrit le chemin du savoir et me rendit accessibles les théories les plus abstraites. Mon application avait d'abord été hésitante : elle se renforça à mesure que je progressais et devint bientôt si ardente que souvent l'aube me surprenait encore attelé à mon travail dans mon laboratoire.

Avec une telle opiniâtreté, il est facile de concevoir que je fis de rapides progrès. Mon ardeur étonnait les étudiants, mes progrès stupéfiaient mes maîtres. Souvent, avec malice, le professeur Krempe me demandait comment allait Cornelius Agrippa, tandis que M. Waldman, lui, exprimait sa satisfaction. Deux ans se passèrent ainsi, sans que je me rende à Genève, tant je m'étais engagé, corps et âme, dans la poursuite de mes travaux. Tout entier absorbé par ma tâche, j'avançais si vite qu'au bout de deux ans je réussis à améliorer plusieurs instruments de chimie, ce qui me valut beaucoup d'estime et de considération dans l'université. Arrivé à ce point, ayant aussi bien assimilé la théorie que la pratique et tout le savoir que pouvaient m'inculquer les professeurs d'Ingolstadt, je jugeai que rester dans cette ville n'était plus nécessaire à ma progression. J'envisageai alors de retourner chez moi, auprès des miens, lorsque se produisit un événement qui prolongea mon séjour.

Un des phénomènes qui avaient singulièrement retenu mon attention était la structure du corps humain, et même celle de tout être doué de vie. « D'où vient, me demandais-je souvent, le principe de la vie ? » Question hardie qui de tout temps avait constitué un mystère. Je décidai bientôt de m'appliquer plus particulièrement au domaine des sciences naturelles qui se rapporte à la physiologie. Si je n'avais pas été animé d'un formidable enthousiasme, l'étude de cette branche m'aurait paru presque intolérable d'ennui. Pour examiner les causes de la vie, nous devons d'abord connaître celles de la mort. Je me tournai vers l'anatomie, mais ce ne fut pas suffisant. Je devais aussi observer la décomposition naturelle et la corruption du corps humain.

Dans mon éducation, mon père avait pris toutes ses précautions pour que mon esprit ne soit pas impressionné par des horreurs surnaturelles. Je ne me souviens pas d'avoir tremblé à cause d'une superstition ni d'avoir craint l'apparition d'un spectre. Les ténèbres n'avaient pas d'effet sur mon imagination et un cimetière était seulement pour moi le réceptacle de corps privés de vie devenus la proie des vers. Amené à examiner les causes et l'évolution de la corruption, je passais mes jours et mes nuits dans des caveaux et des charniers. Je voyais l'enlaidissement et la dégradation des formes les plus pures, j'assistais à l'action dévastatrice de la mort, je découvrais la vermine pullulant dans les yeux et les cerveaux. Je fixais, j'observais, j'analysais en détail les causes et les effets, les passages de la vie à la mort et de la mort à la vie. Et puis des ténèbres une soudaine lueur jaillit dans mon cerveau, une lueur si brillante, si merveilleuse et pourtant si évidente que j'en fus ébloui. Elle m'ouvrait d'immenses perspectives et je fus étonné d'être, parmi tous les hommes de génie qui avaient mené des expériences et entrepris des travaux analogues, le premier à qui devait être réservé le privilège de découvrir un aussi formidable trésor.

Je ne vous rapporte pas la vision d'un fou. Aussi vrai que le soleil brille au firmament, je vous affirme que c'est la vérité. Un miracle s'est sans doute produit, et pourtant les étapes de ma découverte ont été distinctes et probantes. Après des jours et des nuits de labeur épuisant, je découvrais la cause de la génération et de la vie. Mieux, je devenais capable d'animer la matière inerte.

L'étonnement dont je fus saisi avec cette découverte fit bientôt place à l'allégresse. Après un travail long et pénible, cette réalisation constituait une juste récompense. Et cette découverte était si considérable, si prodigieuse que j'oubliai que je n'y étais arrivé que petit à petit et que je ne considérais que le résultat. Ce qui avait été étudié et désiré par les savants les plus éminents depuis la création du monde était à présent à ma portée. Mais ce n'était pas comme par magie que tout m'apparaissait : la certitude que j'avais acquise était plutôt de nature à diriger mes efforts vers un but précis car celui-ci n'était pas encore atteint. J'étais comme celui qu'on avait enterré avec les morts et qui, parce qu'il avait découvert une lueur d'apparence insignifiante, allait pouvoir regagner le monde des vivants.

Je constate, mon ami, à votre impatience et à l'étonnement que je lis dans vos yeux, que vous vous attendez à ce que je vous révèle mon secret. Je ne peux pas le faire. Écoutez patiemment la suite de mon histoire et vous allez comprendre pourquoi. Je ne peux pas vous entraîner, imprudent et ardent comme je l'étais moi-même, vers votre destruction et votre ruine. Apprenez, sinon par mes préceptes, du moins par mon exemple, combien il est dangereux d'acquérir le savoir et combien est plus heureux l'homme qui croit que sa ville natale est le centre de l'univers et qui n'aspire pas à dépasser ses limites naturelles. Lorsque je m'aperçus que je possédais un pouvoir aussi étonnant, j'hésitai longtemps sur la manière dont je l'utiliserais. J'étais donc capable d'animer la matière, mais créer un organisme avec l'entrelacement de ses fibres, de ses muscles et de ses veines, voilà qui représentait un travail d'une incroyable difficulté. Et je ne savais pas encore si je tenterais de créer un être qui me ressemblerait ou un organisme plus simple. Mon premier succès avait à ce point exalté mon imagination que je ne doutais pas de ma capacité de donner vie à un animal aussi complexe et aussi merveilleux que l'homme. Les matériaux dont je disposais ne semblaient guère convenir à une entreprise aussi délicate et aussi ardue, mais cela ne devait pas me gêner dans ma réussite. J'étais prêt à affronter une multitude de revers, mes essais pouvaient sans cesse être infructueux et, en définitive, mon œuvre pouvait se révéler imparfaite.

Toutefois, je n'avais qu'à considérer les progrès qui s'effectuaient tous les jours dans le domaine de la science et de la mécanique pour espérer que mes tentatives actuelles constitueraient les fondements de mon futur succès. Dans l'ampleur et la complexité de mon plan, rien ne prouvait que ce fût impossible. Ce fut dans cet état d'esprit que j'entrepris la création d'un être humain. Les dimensions réduites de certaines parties du corps de l'homme m'empêchèrent d'avancer rapidement dans mon travail. Aussi je décidai de mettre au point une créature de stature gigantesque : il aurait environ huit pieds[3] de haut et sa carrure serait en proportion de sa taille. Cette décision prise, je passai plusieurs mois à rechercher et à préparer mon matériel avant de me mettre au travail.

Personne ne peut concevoir la diversité des sentiments qui, dans le feu de l'enthousiasme, me poussèrent en avant, telle une tornade. La vie et la mort m'apparaissaient comme des limites idéales qu'il y avait lieu de surmonter avant de répandre sur le monde obscur un torrent de lumière. Une espèce nouvelle me bénirait comme son créateur. J'allais donner la vie à des multiples créatures bonnes et généreuses, et nul père n'allait plus que moi mériter la gratitude de ses enfants. Dans le cours de mes réflexions germait l'idée que si je pouvais animer la matière inerte, je serais aussi à même un jour de redonner la vie à un corps apparemment voué à la décomposition.

Ces pensées me soutenaient, tandis que je poursuivais ma tâche avec acharnement. À force d'étudier, mes traits étaient devenus pâles et j'avais fortement maigri. Parfois, sur le point de réussir, j'essuyais un échec, mais je me raccrochais toujours à l'espoir que le jour suivant, les heures suivantes verraient la réalisation de mes projets. Le secret que j'étais seul à posséder m'occupait tout entier et seule la lune était témoin de mon travail nocturne, tandis qu'avec obstination et impatience je sondais les mystères de la nature. Qui pourrait imaginer l'horreur de mon labeur secret lorsque je profanais l'humidité des tombes ou torturais un animal vivant pour arracher la vie à la matière inerte ? En y pensant, j'en tremble et mon regard se trouble. Mais une rage irrésistible, une frénésie, me poussait

3. Soit 2,5 m environ. *(N.d.T.)*

en avant. Mais ce n'était qu'une transe passagère et, quand cette excitation démesurée cessait d'opérer, je revenais à mes anciennes habitudes. Je réunissais les os dans les charniers et de mes doigts immondes je violais les extraordinaires secrets du corps humain. J'avais aménagé une chambre ou plutôt une cellule tout en haut de ma maison, séparée des autres pièces par une galerie et un escalier – la cellule de mes créations abjectes. Les yeux me sortaient des orbites quand je les contemplais. La salle de dissection et l'abattoir me fournissaient la plupart de ma matière et souvent ma sensibilité naturelle me faisait me détourner avec dégoût de mon travail. Malgré cela, poussé par une curiosité toujours plus accrue, je m'approchais du but.

Les mois d'été s'écoulèrent, alors que j'étais, corps et âme, tout à mon travail. La saison était superbe. Jamais les champs n'avaient produit autant de récoltes et les vignes luxuriantes autant de vins ; mais mes regards restaient insensibles aux charmes de la nature. Et les mêmes sentiments qui me faisaient oublier les paysages alentour me détournaient aussi de ceux que je n'avais plus revus depuis longtemps. Je savais que mon silence les inquiétait et je me souvenais très bien des paroles de mon père : « Je sais que tant que tu seras content de toi, nous aurons ton affection et que tu nous donneras régulièrement de tes nouvelles. Mais pardonne-moi de te dire que je considérerai toute interruption de ta correspondance comme une preuve de négligence de tous tes autres devoirs. »

J'étais donc parfaitement conscient des sentiments de mon père mais je ne parvenais pas à détacher mes pensées de mon travail qui, même s'il était répugnant, exerçait sur moi un irrésistible attrait. À dire vrai, je ne voulais éprouver aucun sentiment d'affection jusqu'à ce que mon œuvre, qui devait bouleverser toutes les lois habituelles de la nature, ait été accomplie.

Je pensais alors qu'il serait injuste de la part de mon père qu'il attribue ma négligence au vice ou à quelque faute de ma part. Pourtant, je m'aperçois aujourd'hui qu'il avait raison de penser que je n'étais pas tout à fait à l'abri d'un blâme. Un être humain qui veut se perfectionner doit toujours rester lucide et calme, sans donner l'occasion à une passion ou à un désir momentané de troubler sa sérénité. Je ne pense pas que la poursuite du savoir constitue une exception à cette règle. Si l'étude à laquelle vous vous appliquez a tendance à mettre en péril vos sentiments et votre goût des plaisirs simples, c'est que cette étude est méprisable, c'est-à-dire impropre à la nature humaine. Si cette règle avait toujours été observée, si les hommes renonçaient à toute tâche qui serait de nature à compromettre la tranquillité de leurs affections familiales, la Grèce n'aurait pas été asservie, César aurait épargné son pays, l'Amérique aurait été découverte par petites étapes, sans que soient anéantis les empires du Mexique et du Pérou.

Mais je m'oublie à faire de la morale, au moment le plus intéressant de mon histoire, tandis que votre regard m'invite à poursuivre.

Mon père ne m'adressait aucun reproche dans ses lettres. Mon silence l'incitait seulement à s'informer davantage sur mes préoccupations. L'hiver, le printemps, l'été passèrent et je travaillais toujours. Mais je n'étais attentif ni aux fleurs ni à l'épanouissement des bourgeons – choses qu'auparavant je regardais avec délice – tant mes recherches m'absorbaient. Les feuilles, cette année-là, s'étaient flétries avant que mon travail ne touche à sa fin. Chaque jour néanmoins me confirmait dans la réussite de mon entreprise, même si mon enthousiasme, parfois, se transformait en inquiétude. J'avais plus l'impression d'être un esclave condamné à travailler dans une mine ou à exécuter quelque tâche insalubre qu'un artiste qui s'adonne à son occupation favorite. Chaque nuit, j'étais oppressé par la fièvre et je commençais à devenir de plus en plus nerveux. La chute d'une feuille me faisait sursauter, je fuyais mes semblables comme si j'étais coupable d'un crime. Parfois, je m'alarmais en voyant quelle épave j'étais devenu. Seul mon acharnement me soutenait encore. Mes travaux allaient finir. Je me disais que les exercices et les distractions auraient vite dissipé les effets de cette étrange maladie et je me promis de me reposer, une fois ma création accomplie.

Chapitre 5

Ce fut par une sinistre nuit de novembre qu'enfin s'achevèrent mes travaux. Fou d'anxiété, je mis en place les éléments vitaux qui devaient provoquer une étincelle de vie dans cette matière inerte qui gisait à mes pieds. Il était une heure du matin et la pluie frappait lugubrement contre les vitres. Ma bougie, toute consumée, allait s'éteindre, lorsque tout à coup, au milieu de la lumière vacillante, je vis s'ouvrir l'œil jaune de la créature. Elle se mit à respirer et des mouvements convulsifs lui agitèrent les membres.

Comment décrire mon émoi devant ce qui allait se révéler une catastrophe, comment décrire cette horreur vivante que j'avais eu tant de mal à créer ? Ses membres étaient proportionnés et le visage que je lui avais fait n'était pas disgracieux. Mais sa peau jaunâtre, tendue à l'extrême, dissimulait mal ses muscles et ses veines. Ses longs cheveux étaient d'un noir brillant et ses dents d'une blancheur de nacre, ce qui, par contraste, rendait plus monstrueux encore ses yeux éteints, aussi blêmes que leur orbite, et ses lèvres noires et minces.

J'avais, pendant deux ans, travaillé sans répit pour donner la vie à un corps inanimé, au point d'en négliger mon repos et ma santé. Et maintenant que je touchais au but que je m'étais passionnément fixé, mon rêve, que j'avais cru beau, s'évanouissait et je ne ressentais plus qu'épouvante et dégoût. Incapable de supporter la vue de l'être que j'avais créé, je me précipitai hors de mon laboratoire pour me réfugier dans ma chambre à coucher, où pendant longtemps je tournai en rond sans trouver le sommeil. Enfin la fatigue me submergea et je me jetai tout habillé sur mon lit. Je cherchai en vain l'oubli. Ma somnolence fut traversée par les plus terribles cauchemars. Je vis Élisabeth, épanouie, se promener dans les rues d'Ingolstadt. Heureux de son apparition inattendue, je me précipitai vers elle et l'enlaçai, mais, alors que je posais mes lèvres sur les siennes, elle devint livide comme une morte. Ses traits se décomposèrent, et je crus tenir entre mes bras le cadavre de ma mère. Un linceul l'enveloppait, et, à travers ses plis, je voyais grouiller les vers. Je me réveillai horrifié. Une sueur glacée me couvrait le front, mes dents claquaient, mon corps était agité de convulsions. Puis la lumière jaune de la lune se glissa à travers la fenêtre et j'aperçus le misérable monstre que j'avais créé. Il soulevait le rideau de mon lit et ses yeux, si on peut les appeler ainsi, me fixaient. Ses mâchoires s'ouvrirent et il poussa des sons inarticulés, tout en grimaçant. Peut-être parlait-il, mais je ne l'entendis pas ; il tendit l'une de ses mains, comme pour me retenir. Je m'enfuis et me ruai vers les escaliers. Je me réfugiai dans la cour de la maison où je passai le reste de la nuit, marchant fébrilement de long en large, cherchant à capter le moindre bruit qui me préviendrait de l'approche du démon auquel j'avais, si misérablement, donné la vie.

Quel humain pourrait supporter l'horreur d'une telle situation ! Une momie rendue à la vie ne pourrait pas être aussi hideuse que ce misérable. Je l'avais observé quand il était encore inerte : il était déjà laid, mais quand ses muscles et ses articulations s'animèrent, il devint si repoussant que Dante lui-même n'aurait pas pu l'imaginer pour son Enfer.

Je passai une nuit atroce. Mon cœur battait si fort que je sentais palpiter chacune de mes artères. Parfois je titubais, tant ma fatigue était immense, et ma faiblesse profonde. En moi l'horreur le disputait à l'amertume. Mon exaltation était brutalement devenue une complète désillusion !

Le jour, enfin, sombre et pluvieux, commença à poindre. L'horloge du clocher blanc de l'église d'Ingolstadt marquait six heures. Le portier ouvrait les portes de la cour où je m'étais réfugié. Je sortis, marchai précipitamment par les rues, comme un fuyard, craignant de rencontrer à chaque carrefour ma misérable créature. Je n'osais pas retourner dans mon appartement, j'avais besoin de marcher, bien que trempé par la pluie qui tombait à verse.

J'errai longtemps ainsi, aussi sombre que le ciel bas, espérant que la fatigue physique me délivrerait du fardeau qui m'accablait l'esprit. Je parcourus les rues sans savoir où j'allais. Mon cœur battait au rythme de ma peur et j'errais en titubant.

J'arrivai enfin devant une auberge où d'ordinaire s'arrêtaient les diligences et les voitures. Sans savoir pourquoi, je m'y arrêtai. Pendant un instant, je fixai une voiture qui approchait et vis que c'était la diligence de la Suisse. Elle s'arrêta juste à l'endroit où je me tenais. Lorsque s'ouvrit la portière, je reconnus Henri Clerval, lequel, en me voyant, sauta de la voiture :

— Mon cher Frankenstein, s'exclama-t-il, comme je suis heureux de te voir ! Quelle chance de te trouver ici à l'instant même de mon arrivée !

Rien n'aurait pu me faire plus plaisir que de voir Clerval. Sa présence me rappelait mon père, Élisabeth et le bonheur familial. Je lui pris la main et en un instant j'oubliai mes obsessions. Je ressentis soudain, pour la première fois depuis des mois, de la joie et de la sérénité. Nous nous dirigeâmes vers l'université. Clerval me parla de nos amis communs et me dit sa chance d'avoir pu venir à Ingolstadt.

— Tu imagines aisément les difficultés que j'ai rencontrées pour faire admettre à mon père que tout le savoir nécessaire ne résidait pas seulement dans l'art, certes noble, de la comptabilité. Mais finalement, son affection pour moi l'a emporté sur son aversion de la science et il m'a autorisé à venir au pays du savoir.

— Parle-moi de mon père, de mes frères et d'Élisabeth…

— Ils vont très bien et sont très heureux, quoiqu'un peu tristes de ne pas avoir de tes nouvelles. À propos, j'ai bien envie, moi, de te faire la morale. Mais, mon cher Frankenstein, poursuivit-il en s'arrêtant pour me dévisager, je n'avais pas remarqué combien tu es devenu maigre et pâle ; on dirait que tu n'as pas dormi depuis plusieurs nuits.

— C'est exact. Ces derniers jours j'ai été très absorbé par mon travail. Mais je pense en avoir définitivement fini.

Je tremblais en pensant aux événements de la nuit précédente, et marchais d'un pas rapide. Bientôt nous fûmes arrivés. La créature que j'avais laissée dans mon appartement y était-elle encore ? J'avais peur de revoir ce monstre, et encore plus peur qu'Henri ne l'aperçoive. Je le suppliai de rester au bas de l'escalier et de m'attendre. Ma main sur la poignée de la porte, j'hésitai, puis l'ouvris brutalement : l'appartement était vide. Soulagé, je me précipitai vers Clerval.

Nous montâmes chez moi et, rapidement, le domestique apporta le déjeuner. J'étais incapable de me contenir, je débordais de joie, je tremblais d'excitation, mon cœur battait à tout rompre. Je sautais par-dessus les chaises, battais des mains, riais bruyamment, sans parvenir à me contrôler. D'abord, Clerval mit mon allégresse sur le compte de sa venue inopinée mais, après m'avoir observé avec attention, remarqua dans mon regard des lueurs étranges et s'inquiéta de mon rire qui sonnait faux.

— Mon cher Victor, cria-t-il, pour l'amour de Dieu, qu'est-ce qui se passe ? Tu es malade ! Quelle est la cause de tout ceci ?

— Ne me le demande pas ! m'écriai-je en mettant mes mains devant mes yeux car j'imaginais l'horrible spectre se glisser dans la pièce. Lui peut le dire. Oh ! sauve-moi ! Sauve-moi !

Je crus que le monstre s'emparait de moi, je me débattis furieusement et m'effondrai sur le parquet, en proie à une violente crise.

Pauvre Clerval ! Que devait-il penser ? La rencontre dont il s'était fait une telle joie tournait au drame. Mais je ne pus voir sa tristesse, j'étais évanoui, et ne repris mes esprits que bien plus tard.

Ce fut le début d'une fièvre nerveuse qui m'anéantit plusieurs mois. Durant tout ce temps, Henri seul me soigna. J'appris plus tard que, sachant que l'âge avancé de mon père lui interdisait d'entreprendre un long voyage et qu'Élisabeth serait très affectée par ma maladie, il leur avait dissimulé la gravité de mon état.

J'étais très malade et sans les soins et le dévouement de mon ami, je ne me serais jamais rétabli. Sans cesse, la silhouette du monstre que j'avais créé m'obsédait et sans cesse je délirais à son sujet. Mes délires, sans aucun doute, stupéfiaient Henri. Il pensa d'abord qu'ils étaient la conséquence d'une imagination déréglée, mais comme je ressassais toujours le même sujet, il estima que mon dérèglement devait avoir pour origine un événement extraordinaire et terrible.

Progressivement, malgré de fréquentes rechutes qui inquiétaient mon ami, je recouvrai la santé. Je me souviens que la première fois que je pus observer avec un certain plaisir mon environnement, je vis que les feuilles mortes avaient disparu et que des bourgeons poussaient sur les arbres qui ombrageaient ma fenêtre. Ce fut un printemps magnifique qui contribua grandement à ma convalescence. Je sentis aussi renaître en moi des sentiments de joie et de tendresse ; mes terreurs disparaissaient, et je commençai à être aussi gai que je l'avais été avant de succomber à ma passion fatale.

— Mon très cher Clerval, m'exclamai-je, comme tu as été bon pour moi ! Au lieu d'étudier ainsi que tu l'avais prévu, tu as passé tout ton hiver au chevet d'un malade. Comment pourrai-je t'en remercier ? J'ai de grands remords en pensant aux désagréments que je t'ai causés ; pourras-tu me les pardonner ?

— Je te les pardonnerai dès que tu auras cessé de te tourmenter et dès que tu seras complètement rétabli. Et puisque tu sembles aller mieux, je voudrais aborder un autre sujet…

Je me mis à trembler. Quel sujet ? Voulait-il parler de cette chose à laquelle je n'osais plus penser ?

— Calme-toi, dit Clerval qui me vit changer de couleur. Je n'en parlerai pas, si cela te trouble. Mais ton père et ta cousine seraient heureux de recevoir une lettre écrite de ta main. Ils ignorent que tu as été au plus mal et s'interrogent sur ton long silence.

— Ce n'est donc que cela, mon cher Henri ? Comment pouvais-tu croire que mes premières pensées n'iraient pas vers ceux que j'aime ?

— Si tu es dans de telles dispositions, mon ami, tu te réjouiras donc de lire une lettre qui t'a été adressée, il y a quelques jours. Elle est de ta cousine, je crois.

Chapitre 6

Clerval me mit entre les mains la lettre écrite par Élisabeth.

« Mon cher cousin,

« Tu as été malade, très malade, et même les lettres fréquentes de ce cher Henri ne parviennent pas à me rassurer sur ton état. Il t'est interdit de tenir une plume. Toutefois, un seul mot de toi, mon cher Victor, suffirait à calmer nos craintes. Pendant longtemps, j'ai cru que chaque courrier apporterait ce mot, et j'ai réussi à empêcher mon oncle de partir pour Ingolstadt. Je lui ai exposé les fatigues, voire les dangers d'un si long trajet et souvent j'ai regretté de ne pas pouvoir l'entreprendre moi-même. Je suppose qu'il y a à ton chevet une vieille infirmière qui ne pense qu'à ses gages, incapable de précéder tes désirs et de te soigner comme pourrait le faire ta pauvre cousine. Mais tout cela est fini à présent : Clerval nous écrit que tu vas mieux. J'espère que tu vas nous confirmer rapidement cette nouvelle de ta propre main.

« Guéris vite – et reviens-nous. Tu trouveras un foyer joyeux et des amis qui t'aiment tendrement. La santé de ton père est bonne. Il voudrait te voir afin de s'assurer que tu vas bien. Si c'était le cas, il retrouverait toute sa vigueur.

Tu serais heureux de constater les progrès d'Ernest. Il a maintenant seize ans et est plein d'énergie et d'esprit. En vrai Suisse, il voudrait servir à l'étranger, mais nous ne pouvons nous séparer de lui avant que son frère aîné soit de retour. Mon oncle n'est pas très favorable à l'idée qu'il embrasse la carrière militaire dans un pays lointain, mais pour Ernest, les études sont une entrave pesante. Il passe son temps dehors, à escalader les montagnes et à ramer sur le lac. Je crains qu'il ne devienne oisif et désœuvré si l'autorisation d'embrasser la carrière qu'il a choisie ne lui est pas donnée.

« Depuis que tu nous as quittés, il y a eu peu de changement, si ce n'est que nos chers enfants ont grandi. Le lac bleu et les montagnes enneigées n'ont pas changé ; notre paisible maison et nos cœurs comblés sont soumis aux mêmes lois immuables. Les occupations du quotidien prennent tout mon temps et les visages heureux, autour de moi, sont ma récompense. Si, quelque chose a changé, depuis ton départ. Te rappelles-tu comment Justine Moritz est entrée dans notre famille ? Probablement pas. Je t'en raconte l'histoire brièvement. Mme Moritz, sa mère, était veuve avec quatre enfants. Justine, la troisième, était la préférée de son père, mais sa mère, elle, ne pouvait pas la supporter. Aussi, après la mort de M. Moritz, elle la traita très mal. Ma tante s'en aperçut et, quand Justine eut douze ans, elle demanda à sa mère de la laisser vivre chez nous. Les institutions républicaines de notre pays ont favorisé des mœurs plus simples et plus saines que celles des grandes monarchies qui l'entourent. Il y a chez nous moins de différence entre les classes sociales. Un domestique à Genève n'est pas méprisé comme un domestique en France ou en Angleterre. Et Justine, chez nous, a appris les devoirs d'une servante dans le respect de sa dignité.

« Justine, tu dois t'en souvenir, était notre préférée. Je me rappelle qu'un jour tu as prétendu qu'un seul de ses regards suffisait à chasser ta mauvaise humeur. Ma tante, qui l'appréciait beaucoup, décida de lui donner une éducation plus poussée que celle qu'elle avait initialement prévue. Justine lui en fut très reconnaissante, et ses regards montraient combien elle adorait sa protectrice. Quoique d'une nature gaie, parfois un peu étourdie, elle prenait ma tante pour modèle et allait jusqu'à imiter sa façon de parler et ses allures, si bien qu'aujourd'hui encore elle me la rappelle.

« Quand ma tante que j'aimais tant mourut, nous étions trop pris par notre chagrin pour nous soucier de Justine qui l'avait soignée avec autant d'anxiété que d'affection. La pauvre Justine tomba malade, et ce n'était que le premier de ses malheurs.

« Les uns après les autres, ses frères et sœurs moururent, et sa mère, à l'exception de la fille qu'elle avait négligée, se retrouva sans enfants. Sa conscience en fut troublée ; elle pensa que la mort de ses enfants préférés était un châtiment céleste, afin de la punir de sa partialité. Elle était catholique et je crois que son confesseur la confirma dans cette idée. Aussi, quelques mois après ton départ pour Ingolstadt, Justine a été rappelée chez elle par sa mère repentante. Pauvre fille ! Elle pleurait en quittant notre maison. Elle avait fortement changé depuis le décès de ma tante : le chagrin semblait avoir étouffé sa vivacité, elle avait des manières plus douces. La perspective d'habiter à nouveau avec sa mère n'était pas de nature à lui rendre sa gaieté. D'autant que la pauvre femme, l'esprit troublé par les remords, la suppliait d'oublier le mal qu'elle lui avait fait pour, ensuite, la rendre responsable de la mort de ses frères et sœurs. Et plus ses forces diminuaient, et plus elle se lamentait, et plus elle devenait irascible. Elle repose désormais en paix car elle est morte au début de l'hiver dernier. Justine est revenue chez nous, et je l'aime tendrement. Elle est intelligente, gentille et très jolie. Comme je le disais plus haut, ses expressions me rappellent sans cesse ma chère tante.

« Je dois aussi te parler, mon cher cousin, de notre petit William. Je voudrais que tu puisses le voir : il est très grand pour son âge, avec des yeux bleus tendres et rieurs, des cils foncés et des cheveux bouclés. Quand il sourit, deux petites fossettes surgissent sur ses joues qui sont roses de santé. Il a déjà eu une ou deux petites épouses, mais sa préférée est Louisa Biron, une jolie fillette de cinq ans.

« À présent, mon cher Victor, j'espère que tu voudras être indulgent en ce qui concerne mes commérages sur le petit monde genevois. La jolie Mlle Mansfield a déjà reçu des visites de félicitations, à l'occasion de son prochain mariage avec un jeune Anglais, John Melbourne. Manon, sa sœur qui est si laide, a épousé M. Duvillard, le riche banquier, l'automne dernier. Quant à ton meilleur camarade de classe, Louis Manoir, il a connu plusieurs revers depuis le départ de Clerval de Genève. Mais il est en train de se remettre et on rapporte qu'il envisage de se marier avec une jolie Française, Mme Tavernier. Elle est veuve et beaucoup plus âgée que lui, mais elle plaît à tout le monde.

« J'étais dans de bonnes dispositions d'esprit pour t'écrire, mon cher cousin. Mais, au moment de conclure, je me sens anxieuse. Écris-moi, mon très cher Victor – une ligne, un mot qui sera une bénédiction pour nous. Remercie mille fois Henri pour sa gentillesse, son affection et ses nombreuses lettres. Nous lui en sommes sincèrement reconnaissants. Adieu ! Mon cousin, prends soin de toi et, je t'en supplie, écris !

« Élisabeth Lavenza,
« Genève, 18 mars 17.. »

« Chère Élisabeth ! », m'exclamai-je après avoir lu sa lettre.

Je me mis aussitôt à écrire, pour lui répondre, mais cet effort me fatigua énormément, bien que ma convalescence eût commencé. Une quinzaine de jours plus tard, je pus quitter ma chambre.

Un de mes premiers devoirs après mon rétablissement fut de présenter Clerval à plusieurs des professeurs de l'université. Ce me fut pénible. Depuis la nuit fatale qui avait marqué la fin de mes travaux et le commencement de mes misères, je ressentais une violente antipathie pour le nom même de philosophie naturelle. Et quand j'eus recouvré la santé, la seule vue d'un instrument de chimie me rendait fébrile. Henri s'en aperçut et fit disparaître tous mes appareils. Il remarqua aussi ma gêne lorsque je me trouvais dans la pièce qui m'avait servi précédemment de laboratoire. Mais toutes les précautions prises par Clerval furent insuffisantes lors de nos visites aux professeurs. M. Waldman me mit à la torture lorsqu'il fit, avec chaleur, l'éloge des progrès étonnants que j'avais réalisés dans le domaine scientifique. Mais il vit très vite que ce sujet me peinait et, en ignorant la cause réelle, il attribua mon trouble à la modestie et changea de sujet pour parler plus généralement de la science, avec la volonté évidente que je sorte de ma réserve. Que pouvais-je faire ? Il cherchait à m'être agréable et il me tourmentait. Il plaçait devant moi, un par un, ces instruments qui avaient provoqué ma lente et cruelle déchéance. Je souffrais à chacune de ses paroles mais je ne pouvais pas lui révéler ma douleur. Clerval, dont les yeux et la sensibilité discernaient toujours rapidement les sensations des autres, détourna la conversation, arguant en guise d'excuse de sa totale ignorance, et nos propos prirent un tour plus général. Je remerciai mon ami du fond du cœur mais sans lui dire un mot. Je vis bien qu'il était surpris, mais il n'essaya pas de découvrir mon secret. Même si j'avais pour lui énormément d'affection et de respect, je ne pouvais me décider à lui confier l'événement qui m'obsédait sans cesse l'esprit, car j'avais peur qu'en le partageant il ne me fasse souffrir davantage.

M. Krempe ne fut pas aussi docile. Dans mon état, avec ma sensibilité à fleur de peau, ses éloges brusques et sans finesse me firent plus de mal que la sollicitude de M. Waldman.

— Sacré bonhomme ! s'écria-t-il. Croyez-moi, monsieur Clerval, il nous a tous dépassés ! Je vous l'affirme les yeux dans les yeux, c'est l'entière vérité. Ce jeune homme, qui, il y a peu d'années encore, croyait en Cornelius Agrippa aussi fermement qu'en l'Évangile, est devenu aujourd'hui une des têtes de l'université. Et s'il persévère, il va tous nous dépasser. Ah, ah ! continua-t-il, tout en observant mon visage troublé, M. Frankenstein est modeste, une grande qualité chez un jeune homme. Les jeunes gens devraient se défier d'eux-mêmes, croyez-moi, monsieur Clerval. Je l'étais aussi quand j'étais jeune, mais cela se dissipe rapidement.

Là-dessus, M. Krempe entreprit son propre éloge, ce qui, par bonheur, fit dévier la conversation.

Clerval n'avait jamais partagé mes goûts pour les sciences naturelles et ses recherches littéraires différaient complètement de celles qui m'intéressaient. Il était venu à l'université dans le but de perfectionner ses connaissances des langues orientales pour réaliser les projets qui lui tenaient à cœur. Toujours rêvant d'une carrière glorieuse, il se tournait vers l'Orient, où, pensait-il, son esprit aventureux pourrait s'épanouir en toute liberté. Le persan, l'arabe, le sanscrit l'attiraient, et je le suivis dans cette voie-là. N'ayant jamais aimé l'inaction, voulant fuir mes pensées, haïssant mes premières études, j'étais disponible pour être son condisciple. J'acquis non seulement des connaissances nouvelles mais, en outre, je trouvai une consolation à travers les œuvres des orientalistes. Je ne me livrai pas, comme lui, à une étude critique de leurs dialectes, car ce n'était pour moi qu'une distraction passagère. Je me contentais de lire les écrivains orientaux, et comprendre leurs écrits me suffisait. Leur mélancolie est apaisante, leur joie vous élève à un degré que je n'ai jamais atteint en étudiant les auteurs des autres pays. Quand vous les lisez, la vie se résume à un soleil d'été et à un jardin de roses, aux sourires d'une belle ennemie, et à un feu qui vous brûle le cœur. Quelle différence avec la poésie virile et héroïque de la Grèce et de Rome !

L'été se passa ainsi, et mon retour à Genève fut fixé pour la fin de l'automne ; mais après divers incidents, un hiver précoce, la neige, des routes impraticables, mon voyage fut retardé jusqu'au printemps suivant. Je fus fort affecté par ce retard car j'étais impatient de revoir ma ville natale et mes amis. Mais je n'avais pas non plus envie de laisser Clerval dans une ville étrangère avant qu'il ne s'y soit fait quelques relations. Cependant, l'hiver fut agréable, et le printemps, quoique plus tardif que de coutume, fut également beau.

Le mois de mai avait déjà commencé et j'attendais tous les jours la lettre qui fixerait la date de mon départ, quand Henri me proposa une excursion pédestre de quelques jours dans les environs d'Ingolstadt, afin que je puisse faire mes adieux au pays où j'avais si longtemps habité. J'acceptai avec plaisir cette proposition. J'aimais l'exercice physique et Clerval avait toujours été mon compagnon favori lors des randonnées que nous faisions en Suisse.

Santé et moral m'étaient revenus depuis longtemps, et le bon air, les péripéties habituelles du voyage, les discussions avec mon ami me fortifièrent plus encore. Les études m'avaient retenu à l'écart de mes semblables et j'étais devenu un être asocial. Clerval réussit à me faire revenir à de meilleurs sentiments. Il m'apprit à aimer de nouveau la nature et le visage souriant des enfants. Je redevins celui qui, il y a quelques années à peine, était aimé de tous et n'avait ni chagrin ni souci. Les fleurs printanières poussaient dans les haies, celles de l'été pointaient. J'avais oublié mes tourments.

Henri se réjouissait de mon allégresse et la partageait. Il s'efforçait de me distraire. Sa conversation était imaginative et souvent, à l'instar des conteurs persans et arabes, il inventait des histoires merveilleuses. D'autres fois, il me récitait mes poèmes préférés ou m'entraînait dans d'ingénieux exercices de rhétorique.

Nous retournâmes à l'université un samedi après-midi. Les paysans dansaient et tous ceux que nous croisions semblaient gais et heureux. Je me sentais, moi aussi, léger et joyeux.

Chapitre 7

À mon retour, je trouvai cette lettre de mon père :

« Mon cher Victor,

« Tu as sans doute attendu avec impatience une lettre pour fixer la date de ton retour parmi nous et je pensais tout d'abord ne t'écrire que quelques lignes, en mentionnant uniquement le jour où nous t'aurions attendu. Mais ce serait là un service cruel que je ne peux pas te rendre. Quelle sera ta surprise, mon fils, au moment où tu t'attends à un accueil heureux et agréable, de ne recevoir au contraire que des nouvelles tristes et douloureuses ? Comment, Victor, te parler de notre malheur ? L'absence ne peut pas t'avoir rendu insensible à nos joies et à nos chagrins, et comment infliger cette peine à un fils si longtemps séparé de nous ? Je voudrais te préparer à cette triste nouvelle, mais je sais que c'est impossible. Je vois déjà tes yeux parcourir la page, à la recherche des mots qui t'apprendront l'horrible nouvelle.

« William est mort ! Ce doux enfant dont les sourires me réchauffaient le cœur, qui était si gentil, si gai ! Victor, il a été assassiné !

« Jeudi dernier (7 mai), ma nièce, tes deux frères et moi-même nous étions partis nous promener à Plainpalais.

La soirée était chaude et sereine, et nous avons prolongé notre promenade plus tard que d'ordinaire. Il faisait presque sombre quand nous sommes revenus sur nos pas, et c'est à ce moment-là que nous nous sommes aperçus que William et Ernest, qui étaient partis en avant, ne nous avaient pas rejoints. En attendant leur retour, nous nous sommes assis sur un banc. Bientôt Ernest est apparu et nous a demandé si nous avions vu son frère. Il a dit qu'ils avaient joué ensemble, que William s'était éloigné pour se cacher, qu'il l'avait cherché en vain et qu'il avait attendu longtemps avant de revenir sur ses pas.

« Ces propos nous alarmèrent et nous continuâmes à le chercher jusqu'à la tombée de la nuit. Élisabeth avança qu'il était peut-être rentré à la maison. Mais il n'y était pas. Nous sommes retournés, munis de torches, car je n'aurais pu trouver le repos, sachant mon petit garçon égaré et exposé à l'humidité et à la fraîcheur de la nuit. Élisabeth aussi était très anxieuse. Vers cinq heures du matin, j'ai découvert mon fils. Le soir précédent, il était en bonne santé, et je le voyais à présent étendu sur l'herbe, livide et sans vie. Sur son cou il y avait les traces de doigts du meurtrier.

« Il fut porté à la maison. Élisabeth voulut absolument voir le corps. Tout d'abord, je tentai de l'en empêcher mais, devant son insistance, je la fis entrer dans la pièce où gisait mon fils ; elle examina son cou et, joignant les mains, elle s'écria : “Mon Dieu ! J'ai assassiné mon enfant chéri !”

« Elle s'évanouit et ne revint à elle qu'à grand-peine. Quand elle reprit ses esprits, ce fut uniquement pour pleurer et gémir. Elle me raconta que le soir même William l'avait suppliée de lui laisser porter une précieuse miniature qu'elle avait reçue de votre mère. La miniature avait disparu et, sans aucun doute, avait été le mobile du meurtre. Nous n'avons encore trouvé aucune trace de l'assassin, mais nous persistons dans nos recherches. Mais rien ne me rendra mon bien-aimé William !

« Reviens, mon cher Victor ! Toi seul peux consoler Élisabeth. Elle se lamente sans cesse et s'accuse injustement d'être la cause de ce crime. Ses plaintes brisent mon cœur. Nous sommes tous malheureux, mais n'est-ce pas une raison de plus, mon fils, de revenir nous consoler ? Je remercie Dieu, qui l'a rappelée à Lui, d'avoir épargné à ta chère mère ce drame cruel, la mort du plus jeune de ses enfants chéris !

« Reviens, Victor ! Non pas avec l'idée de te venger de l'assassin mais avec des sentiments de paix et de sérénité qui, plutôt que de les raviver, cicatriseront nos blessures. Entre dans la maison du deuil, mon ami, mais avec bonté et affection pour tous ceux qui t'aiment, et sans haine pour tes ennemis.

« Ton père affectionné et affligé,
« Alphonse Frankenstein.
« Genève, le 12 mai 17.. »

Clerval, qui me dévisageait pendant que je lisais la lettre, vit sur mes traits le désespoir succéder à la joie de recevoir cette lettre. Je la jetai sur la table et me cachai la tête entre les mains.

— Mon cher Frankenstein ! s'écria Henri quand il vit que je pleurais. Tu es toujours aussi malheureux ? Dis-moi, que se passe-t-il ?

Je lui tendis la lettre, tout en arpentant la pièce avec agitation. Les larmes jaillirent des yeux de Clerval quand il l'eut lue.

— Je ne puis t'offrir aucune consolation, dit-il, cette catastrophe est irréparable. Que vas-tu faire ?

— Partir immédiatement pour Genève. Henri, commande les chevaux !

— Pauvre William ! dit Clerval. Le cher petit repose maintenant auprès de sa mère ! Ceux qui l'ont connu si joyeux, si jeune, si beau ne peuvent que pleurer sa disparition ! Mourir si misérablement, sentir l'étreinte d'un criminel ! Comment peut-on assassiner une innocence aussi radieuse ? Pauvre petit chéri ! Seule consolation : tandis que ses amis pleurent et gémissent, lui repose en paix. L'agonie a pris fin, ses souffrances ont disparu pour toujours. Il ne doit plus être un sujet de pitié : nous devons réserver ce sentiment pour ceux qui lui survivent.

Ce furent les paroles de Clerval, alors que nous avancions dans les rues ; je devais me les rappeler, dans ma solitude. Dès que les chevaux furent arrivés, je montai dans un cabriolet et dis adieu à mon ami.

Mon voyage fut extrêmement mélancolique. Dans un premier temps, j'avais voulu aller vite car j'avais hâte d'apporter mon réconfort à ma famille endeuillée. Mais à l'approche de ma ville natale, je ralentis ma course, ne parvenant pas à endiguer la multitude de sensations qui m'agitaient. Il y avait six ans que j'avais quitté le cadre de ma jeunesse, et beaucoup de choses, même infimes, devaient avoir changé. J'appréhendais d'avancer davantage.

Je restai deux jours à Lausanne, dans ce pénible état d'esprit. Je contemplai le lac et ses eaux sereines, ses environs tranquilles, et les montagnes enneigées, qui n'avaient pas changé. Progressivement, le calme et la quiétude du paysage me réconfortèrent et je continuai mon voyage en direction de Genève.

La route emprunte les rives du lac, lequel se rétrécit vers Genève. Je distinguai avec plus de netteté les flancs sombres du Jura et le sommet éclatant du mont Blanc. Je pleurais comme un enfant. « Chères montagnes ! Mon beau lac ! Votre voyageur est revenu. Vos sommets sont clairs, l'eau et le ciel sont bleus et sereins. Est-ce un présage de paix ou un défi à mon infortune ? »

Cependant, comme je me rapprochais de la maison, le chagrin et la peur revinrent. La nuit tombait et quand je ne pus distinguer qu'avec peine les montagnes sombres, je me sentis plus déprimé encore. Le paysage m'apparaissait comme un vaste et sombre théâtre maléfique et je pressentais obscurément que j'étais condamné à devenir le plus misérable des hommes. Hélas ! je prophétisais vrai, sauf sur un seul point : ce malheur que j'imaginais n'était que le centième de celui que j'allais subir.

L'obscurité était totale lorsque j'arrivai dans les environs de Genève. Les portes de la ville étaient déjà fermées et je fus obligé de passer la nuit à Sécheron, un village situé à une demi-lieue de la ville. Le ciel était serein et, comme je ne pouvais trouver le repos, je décidai de me rendre à l'endroit où mon pauvre William avait été assassiné. Ne pouvant pas passer par la ville, je fis le tour du lac en bateau pour atteindre Plainpalais. Durant ce bref voyage, je vis des éclairs tracer sur le sommet du mont Blanc d'extraordinaires compositions. L'orage vint à grande vitesse. En arrivant, je me mis à gravir une colline afin de l'observer. Il avançait, les cieux s'étaient alourdis de nuées noires, et bientôt je sentis les premières grosses gouttes d'une pluie qui augmenta rapidement de violence.

Je me remis à marcher, malgré l'obscurité, l'orage qui s'amplifiait et le tonnerre qui grondait avec un bruit terrifiant au-dessus de ma tête. Ses échos se répercutaient vers le mont Salève, le Jura et la Savoie. Des éclairs énormes m'aveuglaient, illuminant le lac et le faisant ressembler à une vaste nappe de feu ; puis, pour un bref instant, tout était plongé dans les ténèbres. L'orage, comme cela se produit souvent en Suisse, éclatait simultanément en divers points du ciel. Le secteur le plus violent était situé au nord de la ville, au-dessus de la partie du lac qui s'étend entre le promontoire de Bellerive et le village de Coppet. Un autre orage projetait des éclairs lointains sur le Jura, alors qu'un troisième assombrissait et éclairait tour à tour le Môle, à l'est du lac.

Tout en observant la tempête, aussi belle que terrifiante, j'avançais à grands pas. Ce combat sublime dans l'immensité du ciel me transcendait l'âme. Je joignis les mains et m'exclamai : « William, mon cher ange, ce sont tes funérailles, c'est ton chant funèbre ! » En parlant, j'aperçus dans l'obscurité une silhouette qui se glissait, tout près de moi, derrière un bouquet d'arbres. Je m'immobilisai pour la distinguer. Un éclair l'illumina, et je pus nettement la voir. Sa stature gigantesque, la difformité de son aspect, trop hideux pour appartenir à l'humanité, me firent aussitôt comprendre que c'était le misérable, l'épouvantable démon à qui j'avais donné la vie. Mais que faisait-il là ? Pouvait-il être (je frémis à cette idée) l'assassin de mon frère ? À peine cette pensée me traversa-t-elle l'esprit qu'elle m'apparut comme la seule possible. Je claquais des dents et je dus m'appuyer contre un arbre pour ne pas tomber. La silhouette passa rapidement et disparut dans les ténèbres. Aucun être humain n'aurait pu tuer cet enfant. Il était le meurtrier ! Je ne pouvais plus en douter. Je songeai à poursuivre le démon, mais dans un nouvel éclair je l'aperçus escaladant avec agilité les rochers, sur un versant du mont Salève qui, au sud, borde Plainpalais. Bientôt il en atteignit le sommet et disparut.

Je restai immobile. Le tonnerre ne grondait plus, mais il pleuvait toujours et les ténèbres étaient impénétrables. Les événements que j'avais cherché à oublier me revenaient : tout le processus de la création, l'apparition du monstre, sa main tendue, près de mon lit, sa disparition. Deux années s'étaient écoulées depuis cette nuit où il avait reçu la vie, et je me demandais si c'était son premier crime. J'avais lâché dans le monde une créature dépravée qui se délectait dans le carnage et le mal n'avait-il pas assassiné mon frère ?

Nul ne peut imaginer l'angoisse que j'éprouvai durant le reste de cette nuit que je passai dehors, dans le froid et la pluie. Non que le mauvais temps m'ait été indifférent ; mais la tempête était sous mon crâne, avec l'épouvante qui le disputait au désespoir. Je considérais l'être qui avait reçu de moi le pouvoir de commettre les actes les plus horribles comme mon propre vampire, comme mon propre fantôme surgi de la tombe pour aller détruire tous ceux qui m'étaient chers.

Au lever du jour, je me dirigeai vers la ville. Les portes étaient ouvertes et je me hâtai vers la maison de mon père. Ma première pensée fut de lui révéler ce que je savais de l'assassin afin qu'on puisse se lancer à sa poursuite. Mais je ne trouvais pas les mots pour le dire. Un être que j'avais élaboré moi-même, à qui j'avais insufflé la vie et que j'avais rencontré en pleine nuit entre les précipices d'une montagne inaccessible ! On allait m'accuser de délire. De plus, à quoi bon poursuivre une créature capable de courir sur les flancs escarpés du mont Salève ? Je décidai de me taire.

Il était près de cinq heures du matin quand je pénétrai dans la maison de mon père. Je dis aux domestiques de ne pas déranger ma famille et je gagnai la bibliothèque pour attendre l'heure habituelle du lever.

Six années s'étaient écoulées comme un rêve, mais en laissant une trace indélébile, et je me tenais à l'endroit même où j'avais embrassé mon père avant de partir pour Ingolstadt. Cher et vénéré père ! Je contemplai le portrait de ma mère au-dessus de la cheminée. Il avait été peint selon le désir de mon père, et représentait Caroline Beaufort désespérée, en pleurs devant le cercueil de son père. Elle portait des vêtements rustiques et ses joues étaient pâles, mais elle restait digne et belle. Un dessin représentant William était accroché au tableau et je fondis en larmes en le découvrant. C'est alors qu'Ernest entra. Il m'avait entendu arriver et s'était hâté afin de m'accueillir. La joie qu'il avait de me revoir était mêlée de tristesse.

— Sois le bienvenu, mon cher Victor, dit-il. J'aurais tant aimé que tu sois avec nous trois mois plus tôt, alors que nous étions si heureux ! Aujourd'hui, tu viens partager avec nous une douleur que rien ne peut soulager. Mais ta présence, je l'espère, réconfortera notre père qui semble accablé par le chagrin ; et tu tenteras de persuader cette pauvre Élisabeth de cesser de vainement s'accuser. Pauvre William ! C'était notre bonheur et notre fierté !

Des larmes embuèrent les yeux de mon frère ; le désespoir me submergea. Jusque-là, je n'avais fait qu'imaginer la tristesse dans notre maison. La réalité était encore plus terrible encore. J'essayai de consoler Ernest. Je lui demandai des précisions sur mon père et celle que j'appelais ma cousine.

— Elle est celle qui, de nous tous, a le plus besoin de réconfort, me dit Ernest. Elle s'accuse sans cesse d'être responsable de la mort de notre frère et cela la rend malheureuse. Mais depuis qu'on a retrouvé le meurtrier…

— On a retrouvé le meurtrier ! Comment est-ce possible ? Qui l'a poursuivi ? C'est impossible. Autant attraper le vent ou retenir un torrent de montagne avec un fétu de paille. Je l'ai vu, moi aussi, et cette nuit il était libre !

— Je ne sais pas ce que tu veux dire, me répondit mon frère, surpris, mais pour nous, cette découverte n'a fait qu'ajouter à notre chagrin. Tout d'abord personne ne voulait y croire et même encore maintenant Élisabeth refuse l'évidence. Mais qui aurait pu croire que Justine Moritz, qui a toujours été si aimable et si attachée à notre famille, aurait été soudain capable d'un crime aussi abominable ?

— Justine Moritz ! Pauvre, pauvre fille, c'est elle qu'on accuse ? Mais c'est complètement faux, tout le monde le sait ; qui peut y croire, sincèrement, Ernest ?

— *A priori* personne. Mais plusieurs éléments nous ont presque convaincus du contraire ; et son comportement a été si étrange qu'il a aggravé les soupçons au point que je crains que le doute ne soit plus possible. On la juge aujourd'hui même, tu pourras te faire une opinion.

Il me raconta que le matin où avait été découvert le meurtre du pauvre William, Justine était tombée malade et avait gardé le lit durant plusieurs jours. Pendant ce temps, une des domestiques, ayant par hasard examiné les vêtements qu'elle portait la nuit du meurtre, avait découvert, dans l'une des poches, la miniature représentant notre mère – cette miniature à laquelle on avait attribué le mobile du crime. La servante l'avait montrée à une de ses collègues, laquelle, sans en parler à la famille, l'avait apportée à un magistrat. C'était sur cette base que Justine avait été arrêtée. Lorsqu'on l'avait accusée du meurtre, la pauvre fille avait fait preuve d'une telle confusion que les accusations contre elle s'en étaient trouvées confortées.

C'était une histoire trop bizarre pour me convaincre. Aussi répliquai-je avec véhémence :

— Vous vous trompez tous ; je connais l'assassin. Justine, cette pauvre et bonne Justine est innocente.

À cet instant, mon père apparut. Malgré ses traits creusés par le désespoir, il s'efforça de m'accueillir chaleureusement, et après que nous nous soyons tristement salués, il essaya de parler d'autre chose, mais déjà Ernest s'était exclamé :

— Papa, Victor prétend qu'il connaît l'assassin du pauvre William.

— Hélas ! nous le savons aussi, répondit mon père. Et j'aurais préféré ne jamais le savoir plutôt que de découvrir une personne aussi dépravée et aussi ingrate, moi qui l'avais en si haute estime !

— Mon cher père, tu te trompes : Justine est innocente.

— Si c'est le cas, Dieu veillera à ce qu'elle soit innocentée. On la juge aujourd'hui, et j'espère, j'espère sincèrement qu'elle sera acquittée.

Ces propos me calmèrent. J'étais fermement convaincu que Justine, comme du reste tout être humain, était innocente de ce meurtre. Je n'avais donc pas peur qu'on produise contre elle une preuve assez flagrante pour la condamner.

Mais mon histoire n'était pas de celles qu'on pouvait raconter publiquement, l'horreur qui en était la trame aurait semblé absurde et incohérente au plus grand nombre. Et d'ailleurs existait-il, à part moi, le créateur, quelqu'un qui pourrait croire, à moins de ne l'avoir vue, à l'authenticité de cette créature que j'avais lâchée sur le monde ?

Nous fûmes bientôt rejoints par Élisabeth. Le temps l'avait changée depuis la dernière fois où je l'avais vue. Elle était encore plus séduisante. Elle avait, certes, gardé sa candeur et sa vivacité, mais s'y ajoutaient à présent sensibilité et intelligence. Elle m'accueillit avec la plus grande affection.

— Ta venue, mon cher cousin, dit-elle, me remplit d'espoir. Tu trouveras peut-être le moyen de prouver l'innocence de la pauvre Justine. Je crois en son innocence aussi fermement qu'en la mienne ! Notre malheur est doublement pénible : non seulement nous avons perdu ce garçon adorable, mais en outre cette pauvre fille que j'aime sincèrement va sans doute être victime d'une fatalité encore plus terrible. Si elle est condamnée, jamais plus je ne connaîtrai de joie. Mais elle ne le sera pas, je suis certaine qu'elle ne le sera pas, et alors je redeviendrai un jour heureuse, malgré la mort du petit William !

— Élisabeth, dis-je, Justine est innocente. Et je suis à même de le prouver. Ne crains rien, essaye de reprendre tes esprits et sois sûre qu'elle sera acquittée.

— Comme tu es bon et généreux ! Tout le monde croit en sa culpabilité et cela me peine extrêmement, car je suis persuadée du contraire, et cela me désespère de les voir tous se dresser contre elle !

Elle se mit à pleurer.

— Très chère nièce, dit mon père, sèche tes larmes. Si Justine est, comme tu le penses, innocente, fais confiance à notre justice et à nos lois, et à l'ardeur avec laquelle je traquerai la plus petite ombre de partialité.

Chapitre 8

Le procès commençait à onze heures. Nous attendîmes dans la tristesse. Mon père et les autres membres de la famille étaient cités comme témoins, et je les accompagnai au tribunal. Durant toute cette abominable parodie de justice, je souffris mille tortures. On allait décider si le résultat de mes travaux illicites pouvait entraîner la mort de deux êtres humains, le premier, un enfant charmant, plein d'innocence et de gaieté, l'autre, une victime qui allait connaître une fin plus affreuse encore, car l'infamie s'attache toujours à la mémoire du meurtrier. Justine était une fille méritante, qui avait toutes les qualités pour mener une vie heureuse, et, à présent, par ma faute, on lui promettait une tombe ignominieuse, tout cela par ma faute ! J'aurais préféré mille fois avouer moi-même le crime dont Justine était accusée. Mais j'étais absent lorsqu'il avait été commis et, si je faisais une déclaration en ce sens, on me prendrait pour un fou sans que je parvienne à disculper celle qui souffrait par ma faute.

Justine avait l'air calme. Elle avait revêtu des vêtements de deuil et il se dégageait de sa beauté une grande sérénité. Elle semblait croire à son innocence et elle ne tremblait pas, bien qu'observée et haïe par la multitude. Mais tant de grâce et de beauté, qui en d'autres circonstances auraient suscité l'admiration, ne pouvaient faire oublier, auprès des spectateurs, l'énormité du crime qu'on lui attribuait. Comme sa confusion avait été considérée comme une preuve de sa culpabilité, elle s'appliquait à paraître tranquille et courageuse. Quand elle entra dans la salle du tribunal, elle la parcourut des yeux et découvrit très vite où nous étions. En nous voyant, elle versa une larme, puis elle se maîtrisa rapidement et, dans son regard d'une tristesse affectueuse, elle sembla nous dire sa totale innocence.

L'audience fut ouverte. Après que l'avocat général eut déposé l'acte d'accusation, plusieurs témoins furent appelés. Certains faits étranges, en rapport les uns avec les autres, étaient suffisamment accablants pour ébranler quiconque n'avait pas, comme moi, la preuve formelle de son innocence. Elle était sortie la nuit du meurtre et, vers le matin, elle avait été aperçue par une commerçante qui allait au marché, à proximité de l'endroit où, plus tard, on avait découvert le corps de l'enfant assassiné. La femme lui avait demandé ce qu'elle faisait là et Justine, d'un air bizarre, lui avait donné une réponse confuse et inintelligible. Elle était rentrée vers huit heures du matin et, comme on s'était inquiété de savoir ce qu'elle avait fait la nuit, elle avait répondu qu'elle était partie à la recherche de l'enfant et demandé si on avait appris quelque chose à son propos. On lui avait montré le corps : une violente crise d'hystérie l'avait secouée et, durant plusieurs jours, elle avait dû garder le lit. On produisit bientôt la miniature qu'une des servantes avait trouvée dans les poches de Justine. Et lorsque Élisabeth, d'une voix cassée, reconnut que c'était elle qui, une heure avant le crime, l'avait passée autour du cou de William, un murmure d'horreur et d'indignation balaya le tribunal.

Justine fut appelée à se défendre. À mesure que le procès avançait, elle avait perdu de sa contenance. Son visage exprimait à la fois la surprise, l'horreur et l'accablement. De temps à autre, elle essayait de contenir ses larmes, mais, quand on lui donna la parole, elle reprit ses forces et parla d'une voix claire.

— Dieu sait, dit-elle, que je suis absolument innocente. Mais je ne prétends pas que mes protestations suffisent à m'acquitter. Je fonde mon innocence sur une totale et simple exposition des faits qui me sont reprochés, et j'espère que mes juges interpréteront favorablement mes explications pour lever le doute et l'équivoque.

Elle rapporta qu'avec la permission d'Élisabeth elle avait passé la soirée du crime chez une tante, à Chêne, un village situé à une lieue de Genève. À son retour, vers les neuf heures, elle avait croisé un homme qui lui avait demandé si elle savait quelque chose sur l'enfant qui était perdu. Alarmée par ce récit, elle avait elle-même passé plusieurs heures à le rechercher. Les portes de Genève étant fermées, elle avait dû se réfugier pour la nuit dans une grange, près d'un chalet dont elle connaissait les occupants mais qu'elle n'avait pas voulu déranger. Elle n'avait pu dormir une bonne partie de la nuit. Le matin, des bruits de pas l'avaient réveillée. Elle avait quitté son refuge pour continuer à rechercher William. Elle ne savait pas qu'elle n'était pas loin de l'endroit où gisait le corps. Et si elle avait paru se troubler aux questions de la marchande, c'était parce qu'elle avait passé une nuit blanche et que le sort du pauvre William était encore incertain. Quant à la miniature, elle n'avait aucune explication à fournir.

— Je sais, continua la pauvre victime, combien cette seule circonstance m'accable lourdement, mais il m'est impossible de l'expliquer. J'ignore comment la miniature s'est trouvée dans ma poche. Je ne crois pas avoir des ennemis sur la terre, et certainement personne ne me veut du mal. Est-ce le meurtrier qui l'a mise là ? Je ne vois pas quand il aurait pu le faire et, s'il l'avait fait, pourquoi aurait-il volé le bijou pour s'en débarrasser aussi vite ? Je m'en remets à la justice, sans beaucoup d'espoir. Je demande que l'on questionne quelques témoins à mon sujet. Si leurs dépositions sont en ma défaveur et renforcent ma culpabilité présumée, que je sois condamnée, malgré que je plaide pour mon salut et pour mon innocence.

Plusieurs témoins qui la connaissaient depuis des années furent appelés et parlèrent en sa faveur. Toutefois, le crime dont ils la croyaient coupable les impressionnait et ils se retenaient de dire du bien d'elle.

Élisabeth se rendit compte que cet ultime recours, pour démontrer l'heureux caractère et la conduite irréprochable de Justine, serait inefficace et, en proie à une violente agitation, demanda la permission de s'adresser à la cour.

— Je suis, dit-elle, la cousine du malheureux enfant qui a été assassiné, ou plutôt sa sœur car j'ai été éduquée et élevée par ses parents bien avant sa naissance. On pourra dès lors juger indécent de ma part d'intervenir en cette occasion, mais lorsque je vois quelqu'un sur le point de mourir à cause de la couardise de ses prétendus amis, je demande à être autorisée à prendre la parole afin de pouvoir dire ce que je sais d'elle. Je connais personnellement l'accusée. J'ai vécu dans la même maison qu'elle, une première fois pendant cinq ans, plus récemment, pendant deux ans. Durant tout ce temps, elle m'est apparue comme la plus aimable, comme la plus dévouée des créatures. Elle a soigné Mme Frankenstein, ma tante, quand celle-ci était malade, avec beaucoup d'affection et ensuite s'est occupée de sa propre mère lorsque sa santé a été chancelante au point, par son dévouement, de forcer l'admiration de tout le monde. Après quoi elle est revenue vivre dans la maison de mon oncle où elle a été aimée par toute la famille. Elle était très attachée à l'enfant qui est mort et se comportait envers lui comme la mère la plus attentionnée. Pour ma part, je n'hésite pas à dire que, contrairement à toutes les évidences, je crois en son innocence. Elle n'a pas pu être tentée de commettre une telle action ; quant à la miniature, sur laquelle repose l'accusation, si elle en avait émis le désir, je la lui aurais volontiers donnée, tant je l'estime et je la respecte.

Un murmure d'approbation salua l'intervention d'Élisabeth, mais il ne fut pas favorable à la pauvre Justine vers laquelle le public indigné se retourna avec un surcroît de violence en l'accusant de la plus noire ingratitude. Elle avait pleuré pendant qu'Élisabeth parlait, mais ne répondit pas. Ma fébrilité fut extrême durant tout le procès. J'étais convaincu de son innocence. Se pouvait-il que le démon déjà assassin de mon frère (je n'en doutais pas une minute) livre dans sa perversité une innocente à la mort et à l'ignominie ? Je n'étais pas capable de supporter l'horreur de ma situation, et lorsque je m'aperçus, à travers le tumulte de l'assistance et l'attitude des juges, que la malheureuse victime avait été condamnée, je me précipitai hors du tribunal. Les tortures de l'accusée n'égalaient pas les miennes. Elle, elle était soutenue par l'innocence alors que les crocs du remords me broyaient le cœur inexorablement.

Je passai une nuit épouvantable. Le matin, je retournai au tribunal, les lèvres et la gorge sèches. Je n'osais pas poser la question fatale, mais j'étais connu et le magistrat devina la raison de ma visite. Les boules avaient été tirées. Elles étaient toutes noires et Justine avait été condamnée.

Impossible de décrire ce que je ressentis. J'avais eu auparavant des sensations d'horreur, mais aucun mot ne peut donner une idée du profond désespoir que j'éprouvai alors. La personne à qui je m'étais adressé me dit que Justine avait déjà avoué sa culpabilité.

— Cette preuve, observa-t-il, était superflue pour un cas aussi probant, mais nous sommes heureux de l'avoir eue. Aucun de nos juges n'aime condamner un criminel sur des présomptions, aussi décisives soient-elles.

C'était là une nouvelle étrange et inattendue. Qu'est-ce que cela signifiait ? Mes yeux m'avaient-ils trompé ? Et étais-je réellement aussi fou que le monde entier aurait pu le croire si j'avais révélé l'objet de mes soupçons ? Je me hâtai de rentrer à la maison où Élisabeth m'attendait.

— Ma cousine, lui dis-je, il s'est passé ce que tu avais prévu. Tous les juges préfèrent punir dix innocents plutôt que de libérer un seul coupable. Mais Justine a avoué.

Ce fut un coup atroce pour la pauvre Élisabeth qui avait cru fermement à l'innocence de Justine.

— Comment, désormais, dit-elle, comment pourrais-je croire de nouveau en la bonté humaine ? Justine que j'aimais comme une sœur, comment pouvait-elle voiler tant de perfidie sous ces sourires innocents ? La douceur de son regard semblait la rendre incapable de méchanceté et de ruse, et voilà qu'elle a commis un meurtre !

Peu après, on apprit que la malheureuse victime avait exprimé le désir de voir ma cousine. Mon père ne souhaitait pas qu'Élisabeth s'y rende, mais il la laissa maîtresse de son choix.

— J'irai, dit Élisabeth, même si elle est coupable. Victor, accompagne-moi, je ne me sens pas capable d'y aller seule.

Cette visite me torturait, mais je ne pouvais pas refuser.

Nous entrâmes dans la cellule obscure et nous aperçûmes Justine assise sur de la paille. Ses mains étaient menottées et sa tête reposait sur ses genoux. Elle se redressa en nous voyant entrer. Quand nous fûmes seuls avec elle, elle se jeta aux pieds d'Élisabeth et se mit à pleurer. Ma cousine pleurait aussi.

— Oh ! Justine, dit-elle, pourquoi m'as-tu privée de ma dernière consolation ? Je comptais sur ton innocence et, bien que j'aie été très malheureuse, je ne l'étais pas autant que maintenant.

— Vous aussi vous pensez que je suis si mauvaise ? Vous vous joignez donc à mes ennemis pour m'accabler et me considérer comme une criminelle ?

Des sanglots étouffaient sa voix.

— Lève-toi, ma pauvre fille, dit Élisabeth ! Pourquoi te mettre à genoux, si tu es innocente ? Je ne suis pas de tes ennemis. Je ne croirai pas que tu es coupable, malgré l'évidence, tant que je n'aurai pas entendu tes propres aveux. La rumeur, dis-tu, est fausse. Ma chère Justine, sois assurée que rien ne pourra ébranler ma confiance en toi, excepté ta confession.

— J'ai avoué mais j'ai confessé un mensonge. J'ai avoué pour obtenir l'absolution, mais à présent ce mensonge pèse plus lourdement sur mon cœur que tous mes autres péchés. Que Dieu me pardonne ! Depuis ma condamnation, mon confesseur me harcèle et m'a tant épouvantée et menacée que je commence à penser que je suis bien le monstre qu'il décrit. Il me menace d'excommunication et me prédit l'enfer si je continue à nier. Chère madame, je n'avais aucune aide. Tout le monde me considérait comme une misérable vouée à l'ignominie et à la perdition. Que pouvais-je faire ? Dans un moment de désespoir, j'ai proféré un mensonge et ce n'est que maintenant que je me sens réellement misérable.

Elle s'interrompit, tout en larmes, puis reprit la parole.

— Je considérais avec horreur, ma douce madame, que vous puissiez croire la Justine que vous aimiez tant, et que votre tante a toujours tenue en très haute estime, capable d'un meurtre que le diable seul a pu commettre. Cher William ! Cher enfant adoré ! Je le reverrai bientôt au ciel où nous serons tous heureux, et ce sera ma consolation, quand il me faudra subir l'ignominie et la mort.

— Oh ! Justine, pardonne-moi d'avoir douté de toi un seul instant. Pourquoi as-tu avoué ? Mais ne te désole pas, ma chère fille, n'aie pas peur. Je proclamerai, je prouverai ton innocence. J'ébranlerai le cœur de pierre de tes ennemis par mes larmes et mes prières. Tu ne mourras pas ! Toi, ma camarade de jeu, ma compagne, ma sœur, périr sur l'échafaud ! Non ! Non ! Jamais je ne pourrais survivre à un tel désastre !

Justine secoua douloureusement la tête.

— Je n'ai pas peur de mourir, dit-elle. Cette angoisse est passée. Dieu me soutient et me donne le courage d'affronter le pire. Je vais quitter un monde de tristesse et d'amertume ; et si vous vous souvenez de moi et si vous pensez que j'ai été condamnée injustement, je me résignerai au sort qui m'attend. Apprenez-moi, chère madame, à me soumettre sagement à la volonté du ciel.

Durant cette conversation, je m'étais retiré dans un coin de la cellule où je pouvais dissimuler l'horrible angoisse qui m'étreignait. Désespoir ! Qui oserait en parler ? La pauvre victime, qui, le lendemain, allait passer l'effroyable frontière entre la vie de la mort, ne ressentait pas une douleur aussi atroce que la mienne. Je grinçais des dents, je gémissais du plus profond de mon âme. Justine sursauta. Quand elle m'aperçut, elle s'approcha de moi.

— Cher monsieur, dit-elle, que vous êtes bon de m'avoir rendu visite. J'espère que vous ne me croyez pas coupable.

Je ne pouvais répondre.

— Non, Justine, dit Élisabeth, il est autant convaincu que moi de ton innocence. Même lorsqu'il a su que tu avais avoué, il ne l'a pas cru.

— Je l'en remercie sincèrement. Dans ces derniers moments, j'éprouve la plus sincère gratitude pour tous ceux qui pensent à moi avec bonté. Combien est douce l'affection des autres quand on subit le malheur comme moi ! Elle l'efface de moitié, et je sens que je vais pouvoir mourir en paix, maintenant que mon innocence est reconnue par vous, ma chère madame, et par votre cousin.

La pauvre essayait de nous réconforter et de se réconforter elle-même. Elle se résignait. Mais moi, qui étais le véritable assassin, je sentais en moi remuer le ver éternel qui détruit tout espoir et toute consolation. Élisabeth aussi était malheureuse, mais sa détresse était celle de l'innocence, tel un nuage qui passe devant la lune et l'assombrit un court instant sans en ternir l'éclat. L'angoisse et le désespoir avaient pénétré au plus loin de mon être. J'avais en moi un enfer que rien n'aurait pu éteindre. Nous restâmes plusieurs heures auprès de Justine et ce ne fut qu'à grand-peine qu'Élisabeth parvint à s'arracher d'auprès d'elle.

— Je voudrais mourir avec toi, criait-elle, je ne pourrai pas vivre dans ce monde de misère !

Justine eut une expression attendrie, alors qu'elle contenait difficilement ses larmes. Elle embrassa Élisabeth et dit, d'une voix étouffée par l'émotion :

— Adieu, douce dame, très chère Élisabeth, ma seule amie ! Que le ciel dans sa bonté vous bénisse et vous protège ! Que ce malheur soit votre dernier ! Vivez, soyez heureuse et faites que les autres le soient aussi !

Et, le lendemain, Justine mourut. Le cri du cœur d'Élisabeth pour modifier l'opinion des juges avait échoué. Mes appels passionnés et indignés n'avaient servi à rien non plus. Et quand je reçus leurs réponses glacées, leurs raisonnements implacables, ma décision de passer aux aveux mourut sur mes lèvres. J'aurais pu me déclarer fou, mais ils n'en auraient pas modifié leur sentence pour autant. Elle périt sur l'échafaud comme une criminelle !

Je me détournai des tortures de mon propre cœur pour me pencher sur le chagrin profond et muet d'Élisabeth. Cela aussi était mon œuvre ! Et la peine de mon père, et la désolation de cette maison autrefois si gaie, tout cela, je l'avais provoqué ! Vous pleurez, infortunés parents, mais ce ne sont pas vos derniers pleurs ! Vous gémirez encore et vos lamentations monteront à nouveau ! Frankenstein, votre fils, votre proche, votre ami, lui qui donnerait pour vous jusqu'à la dernière goutte de son sang, qui n'a de joie que s'il la lit sur vos visages, qui voudrait passer sa vie à vous servir, Frankenstein vous condamne et vous fait verser des pleurs ! Comme il serait heureux au-delà de tout espoir, si l'inexorable destin était satisfait, si la destruction prenait fin avant que la paix du tombeau ne succède à vos tourments !

Ainsi prophétisait mon âme torturée par le remords, l'horreur et le désespoir, tandis que ceux que j'aimais pleuraient en vain sur les tombes de William et de Justine, les premières victimes de mes travaux impies.

Chapitre 9

Rien n'est plus pénible pour l'esprit, après le passage d'une tempête dévastatrice, que de retrouver le calme de l'inaction. Justine était morte et enterrée, et moi j'étais vivant. Le sang coulait librement dans mes veines, mais le poids du remords et du désespoir m'oppressait le cœur. Le sommeil m'avait fui. J'errais comme un esprit malfaisant, car j'avais commis des actes immondes, horribles, et d'autres, beaucoup d'autres (j'en étais persuadé) allaient encore survenir. Pourtant, mon cœur débordait d'affection. J'avais toujours vécu avec l'amour d'autrui, et j'avais toujours désiré me rendre utile à mes semblables. Maintenant, tout était détruit ; au lieu de pouvoir, la conscience tranquille, regarder le passé avec satisfaction et envisager l'avenir avec espérance, j'étais torturé par les remords et un sentiment de culpabilité qui me faisaient vivre un enfer indescriptible.

Cet état d'esprit pesait sur ma santé, laquelle, sans doute, ne s'était jamais entièrement rétablie depuis le premier choc qu'elle avait subi. Je fuyais les hommes, le moindre signe de joie m'irritait, ne trouvant de consolation que dans une profonde, sombre et mortelle solitude.

Mon père, peiné, constata ce changement. Cet homme à la conscience droite, à la vie sans reproche, s'efforça de me rendre suffisamment de force pour déchirer le sombre nuage qui m'entourait.

— Crois-tu, Victor, me dit-il, que je ne souffre pas moi aussi ? Personne ne pourrait aimer un enfant autant que j'ai aimé ton frère (ses yeux se mouillèrent de larmes), mais c'est un devoir pour ceux qui survivent de ne pas augmenter leur chagrin en affichant leur douleur. C'est aussi un devoir envers toi-même, car celui qui s'enferme dans une tristesse excessive se coupe de la société, sans laquelle on ne peut vivre.

Ces conseils, quoique excellents, étaient totalement inapplicables à mon cas. J'aurais été le premier à cacher ma peine et à consoler mes amis si à tous mes autres sentiments ne s'étaient ajoutés ce remords continuel et cette terreur latente. Je ne pouvais alors répondre à mon père que par un regard désespéré, et que me cacher de lui.

Vers cette époque, nous nous retirâmes dans notre propriété de Bellerive. Ce changement fut particulièrement bienvenu pour moi. La fermeture régulière des portes de la ville à dix heures, donc l'impossibilité d'aller sur le lac après cette heure, avait rendu désagréable mon séjour à Genève. J'étais libre à présent. Souvent, après que le reste de la famille se fut retiré pour la nuit, je prenais une barque et passais de longues heures sur l'eau. Parfois je hissais la voile, et je me laissais pousser par le vent ou alors, après avoir ramé jusqu'au milieu du lac, je me laissais dériver, m'abandonnant à ma morosité inquiète. Quand tout était silencieux alentour, quand il ne restait que moi au milieu de ce site merveilleux – à part quelques chauves-souris et des grenouilles qui coassaient sur la rive –, j'avais envie de me jeter dans ces eaux sombres afin qu'elles se referment à jamais sur moi et sur mes malheurs. Mais je pensais à la souffrance d'Élisabeth que j'aimais tendrement et dont l'existence était liée à la mienne. Je pensais aussi à mon père et au frère qui me restait ; par ma désertion honteuse, je les aurais laissés sans défense face aux ruses de la créature que j'avais moi-même abandonnée parmi eux.

Dans ces moments-là, je pleurais amèrement et je souhaitais recouvrer assez de sérénité pour leur offrir consolation et bonheur. Mais ce n'était pas possible. Le remords étranglait le moindre espoir. J'avais commis l'irréparable et je vivais dans la crainte quotidienne que le monstre que j'avais créé ne se livre à de nouveaux forfaits. J'avais le pressentiment que tout n'était pas fini et qu'il allait encore commettre des crimes si grands qu'ils surpasseraient en horreur les précédents. Tout était à craindre aussi longtemps que vivrait un être cher. Je haïssais ce monstre de tout mon être. Quand je pensais à lui, je grinçais des dents, mes yeux s'enflammaient et j'avais l'ardent désir de lui ôter cette vie que je lui avais aveuglément donnée. En songeant à ses crimes et à sa perversité, ma haine, ma volonté de le détruire n'avaient pas de limites. J'aurais même entrepris une expédition sur le plus haut sommet des Andes s'il avait fallu précipiter le monstre dans l'abîme. Je voulais le revoir pour le damner, lui crier ma haine et venger la mort de William et de Justine.

Notre maison était la maison du deuil. La santé de mon père avait été fortement secouée par les récents événements. Élisabeth était triste et abattue, elle ne prenait plus aucun plaisir à ses occupations habituelles ; se réjouir lui paraissait sacrilège, gémir et pleurer était, selon elle, le tribut à payer à l'innocence saccagée. Elle n'était plus du tout cette fille heureuse qui, lorsque nous étions jeunes, se promenait sur les bords du lac et parlait en riant de nos futurs projets.

— Quand je pense, mon cher cousin, disait-elle, à la fin pitoyable de Justine Moritz, je ne reconnais plus le monde et ses œuvres. Autrefois, je prenais les histoires de vice et d'injustice que je lisais ou dont j'entendais parler pour des légendes désuètes ou des diableries imaginaires. Mais maintenant le malheur est à notre porte et l'être humain se révèle à mes yeux comme un monstre assoiffé du sang des autres. Je suis injuste, sans doute. Tout le monde croyait la pauvre fille coupable, et si elle avait commis le crime pour lequel elle a souffert, elle aurait été assurément la plus dépravée des créatures humaines. Assassiner, pour un bijou, le fils de son bienfaiteur et ami, assassiner un enfant qu'elle avait élevé depuis sa naissance et qu'elle semblait aimer comme le sien ! La mort de tout être humain m'est insupportable, mais il m'est aussi insupportable qu'un criminel continue de vivre parmi les hommes. Justine est innocente, je le sais et je le sens. Tu partages mon opinion, tu me l'as dit. Mais, Victor, quand le mensonge ressemble à ce point à la vérité, comment croire que le bonheur puisse être durable ? J'ai l'impression de marcher au bord d'un précipice avec des milliers de gens autour de moi sur le point de me pousser dans l'abîme. William et Justine ont été assassinés et leur meurtrier est en liberté : il circule librement dans le monde et peut-être est-il respecté. Même si, pour ces mêmes crimes, je devais être condamnée à l'échafaud, je ne voudrais pas échanger ma place contre celle de ce misérable !

J'écoutais, atterré, ces paroles. C'était moi le véritable assassin. Élisabeth perçut mon angoisse. Elle me prit tendrement la main.

— Mon cher ami, dit-elle, tu dois te calmer. Ces événements m'ont troublée, et Dieu sait à quel point ! Mais je ne suis pas encore aussi malheureuse que toi. Il y a sur ton visage une expression de désespoir et parfois de vengeance qui me fait trembler. Cher Victor, chasse ces noires passions. Rappelle-toi que tu es entouré d'amis. As-tu perdu le pouvoir de les rendre heureux ? Tant que nous nous aimerons, tant que nous nous ferons mutuellement confiance, dans ce pays de paix et de beauté, rien ne pourra troubler notre paix.

De tels mots, dits par celle qui m'était le plus cher au monde, auraient dû suffire à chasser le démon qui se dissimulait dans mon cœur. Tandis qu'elle parlait, dans un réflexe de terreur, je me serrai contre elle comme si j'avais craint que le destructeur ne vienne me l'enlever.

Ni la tendresse d'une amitié, ni la beauté de la terre, ni celle des cieux ne pouvaient me délivrer du malheur. Les accents de l'amour restaient sans effet. J'étais dans un nuage qu'aucune chaleur bénéfique ne pouvait pénétrer. Un cerf blessé se traînant vers quelque buisson pour y contempler la flèche qui l'avait transpercé et pour y mourir, voilà ce à quoi je ressemblais.

Parfois, je combattais mon désespoir en imposant à mon corps des exercices physiques, en faisant des excursions. C'est ainsi que je quittai brusquement la maison et gagnai les plus proches vallées des Alpes. Dans la magnificence de ces sites éternels, j'allais y chercher l'oubli de moi-même et de mes douleurs. Mes pas me conduisirent vers la vallée de Chamonix que j'avais souvent traversée, lors de mon adolescence.

J'effectuai à cheval la première partie de mon voyage. Puis je louai une mule, la monture qui a le pied le plus sûr et qui circule le plus aisément sur les routes rocailleuses. Il faisait beau. C'était la mi-août, environ deux mois après la mort de Justine. Le poids qui m'oppressait le cœur s'allégeait au fur et à mesure que je pénétrais plus avant dans le ravin de l'Arve. D'immenses montagnes et des précipices m'entouraient de toutes parts. Plus je grimpais, plus la vallée prenait un aspect magnifique et grandiose. Des ruines suspendues au bord des précipices, près des montagnes hérissées de sapins, l'Arve impétueuse, çà et là des chalets apparaissant parmi les arbres, tout contribuait à un décor d'une singulière beauté, sublimée par les Alpes dont les dômes et les pyramides couverts d'une neige éclatante dominaient tout.

Peu après, j'entrai dans la vallée de Chamonix. D'immenses glaciers bordaient la route. J'entendis le roulement de tonnerre d'une avalanche et aperçus le nuage qui s'élevait sur son passage. Le mont Blanc, le suprême et magnifique mont Blanc, se dressait au-dessus des aiguilles environnantes et dominait toute la vallée.

Une sensation de plaisir depuis longtemps oubliée me revint à plusieurs reprises durant ce voyage. J'évoquais les jours anciens et retrouvais les joies de mon adolescence. Le vent se faisait apaisant à mes oreilles et la Nature, maternelle, m'invitait à ne plus pleurer. Et puis ce bien-être s'effaça, mes chagrins me submergèrent à nouveau. Dans une crise de désespoir, je mis pied à terre et me jetai dans l'herbe, écrasé d'horreur et de honte.

Je finis par arriver au village de Chamonix, épuisé. Un court instant, je restai à la fenêtre de ma chambre, contemplant les éclairs livides qui couraient sur le mont Blanc, écoutant l'Arve qui coulait en contrebas et dont le rugissement continuel me berçait. Lorsque je posai ma tête sur l'oreiller, je m'endormis aussitôt, en remerciant ce sommeil qui m'apportait l'oubli.

Chapitre 10

Je passai la journée suivante à errer au milieu de la vallée. Je m'arrêtai près des sources de l'Arveiron, qui coulent d'un glacier. J'étais dominé par un mur de glace et les flancs abrupts des hauts sommets. Quelques sapins fracassés gisaient alentour. Seuls le tumulte des eaux, la chute d'un rocher, le grondement d'une avalanche ou le craquement des immenses langues de glace, répercuté par l'écho, brisaient le silence. Ce paysage sublime me rassérénait, me consolait, et m'élevait au-dessus de la petitesse humaine, même s'il n'effaçait pas entièrement mes peines. Il m'éloignait des pensées qui m'avaient tant fait souffrir ces derniers mois. Je ne rentrai pour dormir qu'à la nuit tombante et mon sommeil apaisé fut imprégné de tout ce que j'avais admiré pendant la journée, neige inviolée des sommets, pics scintillants, sapins accrochés aux ravins, aigle planant parmi les nuages..

Mais le lendemain, à mon réveil, ma sérénité avait disparu, et je me retrouvai en proie à une sombre mélancolie. La pluie tombait à torrents, d'épaisses brumes dissimulaient les sommets. Mais que m'importaient la pluie et l'orage ? Ma mule fut amenée devant la porte et je décidai de gagner le Montenvert. Je me souvenais de l'effet qu'avait produit sur moi, la première fois que je l'avais vu, cet extraordinaire glacier en perpétuel mouvement. J'en avais ressenti comme une extase. La nature, dans ce qu'elle a de grandiose et de majestueux, me faisait oublier les petitesses de l'existence. Je partis sans guide, car je connaissais le chemin, et une présence à mes côtés aurait détruit la grandeur solitaire du paysage.

La pente est escarpée, mais le sentier, avec ses lacets sur le flanc de la montagne, permet d'accéder à son sommet. Spectacle d'une terrifiante désolation. Partout, on distingue les traces des avalanches de l'hiver : arbres déchiquetés en travers des rochers, certains totalement brisés, d'autres penchés, tordus. Le sentier, au fur et à mesure de la montée, est coupé par des ravins de neige où, à tout moment, peuvent pleuvoir des pierres.

Les sapins sont moins grands et moins touffus qu'ailleurs, et plus sombres, ce qui ajoute à la sévérité du paysage. Je contemplai, sous une pluie battante, la vallée embrumée, et les montagnes d'en face, noyées dans des nuages sombres. Tout ce qui m'entourait dégageait de la mélancolie. Pourquoi faut-il que l'homme ait une sensibilité supérieure à celle de la brute ? Si nos impulsions se bornaient à la faim, à la soif, au désir, nous pourrions être presque libres. Mais au lieu de cela, la plus petite brise qui souffle nous touche, comme un simple mot, ou encore l'image que ce mot peut faire surgir.

Il était près de midi quand j'arrivai au but de mon ascension. Je m'assis sur un rocher qui dominait la mer de glace. La brume l'enveloppait, ainsi que les montagnes alentour, que bientôt le vent dissipa, et je descendis sur le glacier. Sa surface ressemble aux vagues d'une mer agitée, avec de profondes crevasses. Le champ de glace n'a pas plus d'une lieue de largeur, mais il me fallut près de deux heures pour le parcourir. La montagne opposée est un bloc rocheux escarpé. De là où je me trouvais, le Montenvert se dressait en face de moi. Au-dessus, c'était le mont Blanc, dans toute sa majesté. Je m'avançai parmi les rochers, ébloui par ce spectacle prodigieux. La mer, ou plutôt l'immense fleuve de glace, coulait depuis les sommets dont les pics glacés scintillaient sous le soleil, au-dessus des nuages. Je passai de la tristesse à la joie et m'écriai :

— Esprits errants, si vraiment vous errez, et avez quitté vos lits étroits, accordez-moi un peu de bonheur ou faites de moi votre compagnon d'errance, loin des joies de l'existence !

J'avais à peine parlé que j'aperçus une silhouette de forme humaine qui fonçait vers moi à une vitesse surprenante. Sans souci du danger, il bondissait au milieu des cratères de glace où je ne m'étais aventuré qu'avec une grande prudence. Sa stature, tandis qu'il s'approchait, semblait exceptionnelle pour un homme. Un brouillard me troubla l'esprit. Mais le vent glacial qui soufflait me fit reprendre conscience. Et je vis horrifié, lorsque la créature fut toute proche, que c'était le monstre à qui j'avais donné la vie.

Je tremblai de haine et de dégoût, déterminé, dès que je pourrais le toucher, à engager avec lui un combat mortel. Il approchait encore. Ses traits exprimaient une douloureuse angoisse, mais aussi une ruse malsaine, et son abominable laideur était telle que le regarder était atrocement pénible.

La rage de le rencontrer m'avait d'abord coupé la voix ; je retrouvais l'usage de la parole pour lui exprimer ma fureur.

— Démon ! m'exclamai-je. Comment oses-tu donc m'approcher ? Ne crains-tu pas que d'un geste vengeur je te fracasse la tête avec mon poing ? Va-t'en, abjecte créature ! Ou plutôt, non, reste, que je t'écrase et te réduise en poussière ! Ah ! si je pouvais, en supprimant ta misérable existence, faire revivre ceux que tu as si diaboliquement assassinés !

— Je m'attendais à cet accueil, me répondit le monstre. Tous les hommes détestent les malheureux. C'est dire à quel point je dois être haï, moi qui suis la plus malheureuse de toutes les créatures ! Même toi, mon créateur, tu me détestes et tu me repousses, alors que tu m'as fait, et que les liens qui nous attachent ne peuvent être défaits que par la mort de l'un de nous deux. Tu veux me tuer. Mais c'est avec ta vie que tu joues ! Accomplis ton devoir envers moi, et j'accomplirai le mien envers toi et envers le reste de l'humanité. Accepte mes conditions et je te laisserai en paix, toi et tous les tiens. Mais si tu refuses, je me rassasierai du sang de tous ceux que tu aimes !

— Monstre abhorré ! Créature ignoble ! Les tortures de l'enfer ne suffiraient pas à venger tes crimes. Misérable démon ! Tu me reproches ta création. Viens donc, que j'éteigne la flamme que j'ai si malencontreusement fait jaillir en toi !

Ma rage n'avait aucune limite. Je me jetai sur lui, poussé par cette violence aveugle qui peut conduire un homme à en tuer un autre.

Il m'évita aisément et me dit :

— Calme-toi ! Écoute-moi d'abord avant de crier ta haine contre moi. J'ai déjà assez souffert pour que tu n'augmentes pas mon malheur. Ma vie, qui n'est qu'une accumulation d'angoisses, m'est cependant précieuse, et j'y tiens assez pour la défendre. N'oublie pas que tu m'as fait plus puissant que toi, d'une taille plus imposante, avec des membres plus souples que les tiens. Mais je reste ta créature et je me montrerai doux et docile envers toi, mon maître et seigneur si, de ton côté, tu fais comme moi. Oh ! Frankenstein, tu ne peux pas être équitable envers les autres et injuste envers moi, seulement envers moi. Je réclame non seulement ta justice, mais aussi ta clémence et ton affection. N'oublie pas que je suis ta créature. Je devrais être ton Adam, mais je ne suis qu'un ange déchu que tu chasses et prives de joie. Partout je vois le bonheur, un bonheur dont je suis le seul à être exclu. J'étais bon ; c'est la misère qui m'a fait démon. Rends-moi heureux, et je serai de nouveau vertueux.

— Va-t'en ! Je ne veux plus t'entendre. Tu es mon ennemi ! Va-t'en ou bats-toi, jusqu'à ce que l'un de nous périsse !

— Comment t'émouvoir ? J'implore ta bienveillance, je te demande bonté et compassion ! Crois-moi, Frankenstein, j'étais généreux, mon âme débordait d'amour. Mais je suis seul, pitoyablement seul. Même toi, mon créateur, tu me hais ! Quelle espérance pourrais-je mettre en tes semblables qui me méprisent et me détestent ? Les montagnes désertes et les glaciers sauvages sont mon seul refuge. J'ai erré ici de nombreux jours. Les cavernes de glace dont je suis le seul à ne pas avoir peur sont mes abris, les seuls que les hommes ne me disputent pas. Si la foule connaissait mon existence, elle ferait ce que tu veux faire, elle viendrait pour me détruire les armes à la main. Je la hais parce qu'elle me hait ! Je ne pactiserai pas avec elle. Ma misère sera la sienne. Tu as le pouvoir de me rendre justice et de délivrer le monde du fléau que je suis. Sans cela, non seulement toi et les tiens, mais encore des milliers d'autres gens seront victimes de ma fureur ! Ne me chasse pas. Écoute mon histoire et, quand tu l'auras entendue, abandonne-moi ou prends-moi en pitié, comme tu le jugeras bon. Mais écoute-moi d'abord ; les lois humaines ne permettent-elles pas aux coupables de se faire entendre avant d'être jugés, quelle que soit l'horreur de leurs forfaits ? Alors écoute-moi, Frankenstein !

— Pourquoi, répliquai-je, me rappelles-tu ces circonstances douloureuses au cours desquelles je t'ai créé ? Maudit soit le jour, monstre abominable, où tu as vu la lumière ! Maudites soient mes mains qui t'ont fabriqué ! Tu m'as rendu malheureux au-delà de toute expression. Par ta faute, je ne sais plus ce qui est juste et injuste. Va-t'en ! Délivre-moi de ta vue détestable !

— Je le fais, mon créateur, dit-il.

Et il plaça devant mes yeux ses abominables mains. Je les repoussai avec violence.

— Je voulais seulement, reprit-il, t'épargner la vue d'un spectacle détesté. Veux-tu m'écouter et m'accorder ta compassion, au nom des vertus que je possédais autrefois ? Écoute mon histoire. Elle est longue et étrange, et la température, ici, n'est pas bonne pour ton organisme. Viens dans mon refuge, sur la montagne. Le soleil est encore haut dans le ciel. Avant qu'il ne disparaisse derrière les cimes, tu auras entendu mon histoire et tu pourras prendre une décision. Il dépend uniquement de toi que je quitte pour toujours le voisinage des hommes afin de mener une vie innocente ou que je devienne un fléau pour tes semblables et provoque ta propre ruine.

Après avoir parlé, il se mit à avancer au milieu des glaces. Je le suivis. Mon cœur était lourd et je ne lui avais pas répondu, mais, tout en marchant, je pesai ses arguments et décidai d'écouter son histoire. Par curiosité mais aussi par pitié. Je voulais savoir s'il était vraiment l'assassin de mon frère, comme je l'en soupçonnais. Pour la première fois aussi, je ressentais ma responsabilité de créateur envers sa créature et de voir comment le rendre heureux, avant de me plaindre de sa méchanceté. Nous traversâmes les glaces et escaladâmes les rochers opposés. L'air était froid et la pluie recommençait à tomber. Nous entrâmes dans une hutte. Le monstre avait l'air d'exulter, tandis que je restais abattu. Je m'assis près du feu qu'il alluma. Alors, il commença son histoire.

Chapitre 11

« Il m'est très difficile de me rappeler les premiers moments de mon existence ; cette période m'apparaît confuse et indistincte. Des sensations multiples m'agitaient. Tout à la fois je voyais, je touchais, j'entendais, je sentais ; mais il me fallut du temps avant de faire la distinction entre mes divers sens. Progressivement, je m'en souviens, une violente lumière m'obligea à fermer les yeux. L'obscurité qui s'ensuivit me troubla, mais à peine en avais-je eu conscience qu'en ouvrant les yeux je revis la lumière. Je me mis à marcher et je descendais, je crois, lorsque se produisit un grand changement dans mes sensations. Auparavant, des corps sombres et opaques m'entouraient, qu'il m'était impossible de toucher ou de voir. Mais voilà que je découvrais que je pouvais me mouvoir en toute liberté et que j'étais capable de surmonter et de contourner les obstacles. La lumière m'oppressait de plus en plus et la chaleur me gênait, au fur et à mesure que je marchais, à telle enseigne que je recherchai un endroit où il y avait de l'ombre. Ce fut une forêt près d'Ingolstadt. Là, je me reposai en bordure d'un ruisseau, jusqu'à ce que la faim et la soif me tourmentent. Cela m'arracha de ma torpeur. Je mangeai des baies que je cueillai sur des arbres ou que je ramassai par terre. J'étanchai ma soif au ruisseau et je m'étendis sur le sol pour trouver le sommeil.

« Il faisait sombre quand je me réveillai. J'avais froid et j'eus peur, comme si, instinctivement, je me rendais compte de mon état d'abandon. Avant de quitter ton appartement, ayant éprouvé une sensation de froid, je m'étais couvert de quelques vêtements, mais ce n'était pas assez pour me prémunir contre la rosée nocturne. Je n'étais qu'un misérable, pauvre et sans secours. Je ne savais rien, je ne pouvais rien distinguer. Tout alentour me parut hostile. Je m'assis et pleurai.

« Bientôt, une légère lueur jaillit dans le ciel et j'éprouvai une sensation de plaisir. Je me dressai et aperçus une forme rayonnante parmi les arbres. Je la contemplai avec admiration. Elle bougeait lentement et elle éclairait mon chemin, et je repartis à la recherche de baies. Il faisait encore froid, pourtant je découvris sous un arbre un large manteau dont je me couvris avant de me rasseoir par terre. Aucune pensée précise ne m'occupait l'esprit. Tout était confus. Je sentais la lumière, la faim, le froid, l'obscurité. D'innombrables bruits me tintaient aux oreilles et, de toutes parts, montaient des parfums multiples. La seule chose que je pouvais distinguer était la lune brillante et je la fixai avec plaisir. Il y eut plusieurs jours et plusieurs nuits. La durée de la nuit avait fortement diminué, lorsque je commençai à différencier mes diverses sensations. Progressivement, je vis le ruisseau où j'allais boire et les arbres sous les feuillages desquels je m'abritais. Je fus émerveillé quand je découvris pour la première fois qu'un son qui m'était souvent agréable à l'oreille provenait de la gorge de petites créatures ailées qui, en passant devant moi, interceptaient la lumière. Je commençai aussi à observer de façon beaucoup plus nette les formes qui m'entouraient et à percevoir les limites de la voûte de lumière au-dessus de moi. Parfois, j'essayais d'imiter les sons mélodieux des oiseaux mais sans succès. Et parfois aussi j'éprouvais le besoin d'exprimer mes sensations de ma propre manière, mais les sons rudes et inarticulés qui sortaient de mes lèvres m'épouvantaient et je retombais dans le silence.

« La lune avait disparu de la nuit puis avait resurgi, plus mince, et j'étais toujours dans la forêt. Dans l'intervalle, mes sensations étaient devenues bien distinctes et mon cerveau enregistrait chaque jour des idées nouvelles. Mes yeux commençaient à s'habituer à la lumière et à percevoir les objets dans leur forme la plus exacte. Je discernais l'insecte au milieu de l'herbe puis une herbe d'une autre. Je découvrais que le moineau n'émettait que des sons saccadés, alors que le chant du merle ou de la grive était doux et harmonieux.

« Un jour que j'étais tiraillé par le froid, je trouvai un feu laissé par des vagabonds et cette découverte de la chaleur fut pour moi un immense plaisir. Dans ma joie, je plongeai ma main parmi les braises brûlantes mais la retirai aussitôt en criant de douleur. Je venais de découvrir que la même cause produit des effets opposés ! J'examinai le feu et vis qu'il était composé de bois. Je réunis rapidement quelques branches, mais elles étaient trop humides et elles ne s'enflammèrent pas. J'en fus attristé et je m'assis pour contempler les flammes. Le bois humide que j'avais placé près du foyer sécha et, de lui-même, se mit à brûler. Ayant compris ce phénomène, je ramassai une grande quantité de bois afin de le faire sécher et d'avoir une bonne provision. Quand tomba la nuit et que je voulus me reposer, j'eus très peur que mon feu ne s'éteigne. Je le recouvris soigneusement de bois sec et de feuilles et plaçai au-dessus des branches humides. Puis, après avoir déployé mon manteau, je me couchai sur le sol et m'endormis.

« Il faisait jour à mon réveil et mon premier soin fut d'examiner le feu. Je le dégageai et un léger vent le ranima au point de faire naître une flamme. En observant ce phénomène, j'eus l'idée de fabriquer avec des branches un écran qui ranimerait les braises près de s'éteindre. Quand la nuit revint, je vis avec plaisir que le feu donnait aussi bien de la chaleur que de la lumière, et grâce à cette découverte, je pus améliorer ma nourriture, car celle que les vagabonds avaient abandonnée était cuite et beaucoup plus savoureuse que les baies que je cueillais sur les arbres. Aussi essayai-je de préparer ma nourriture de la même façon, en la plaçant sur les braises vives. Si les baies s'y gâtaient, les noisettes et les racines y trouvaient un meilleur goût.

« Cependant, la nourriture se faisait rare et il m'arrivait parfois de passer toute une journée à chercher en vain des glands pour calmer les tiraillements de la faim. Je décidai de quitter l'endroit où j'avais séjourné jusque-là et d'en chercher un autre. Tandis que je marchais, je regrettai la perte de ce feu que j'avais trouvé par hasard et que je ne savais pas reproduire. Enveloppé dans mon manteau, je traversai le bois en direction du soleil couchant. Je passai trois jours à errer et, finalement, découvris la plaine. La nuit précédente, il avait beaucoup neigé et les champs étaient uniformément blancs, ce qui leur donnait un aspect de désolation, et je m'apercevais que mes pieds gelaient sur la matière froide et humide qui recouvrait le sol.

« Il était à peu près sept heures du matin et il me fallait à tout prix de la nourriture et un abri. À la fin, j'aperçus une petite cabane de berger, sur une colline. C'était là pour moi une nouveauté et j'en examinai la structure avec la plus grande curiosité. Trouvant la porte ouverte, j'entrai. Un vieil homme assis préparait son repas près d'un feu. Il se retourna en entendant du bruit. Dès qu'il m'aperçut, il poussa un hurlement et, sortant de sa cabane, il se mit à courir à travers champs, à une vitesse que son aspect chétif ne laissait pas supposer. Son apparence, différente de tout ce que j'avais vu jusqu'alors, comme sa fuite me surprirent. Mais l'aspect de la cabane me comblait. Le sol était sec, la pluie et la neige n'y pénétraient pas. Je dévorai avidement les restes du repas du berger, du pain, du fromage, du lait, du vin, une boisson que je n'ai plus appréciée par la suite. Puis, épuisé, je m'allongeai sur un tas de paille et m'endormis.

« Il était midi quand je me réveillai. La chaleur du soleil, qui brillait avec éclat sur le sol blanc, m'incita à poursuivre mon voyage. Je ramassai ce qui restait du repas, le fourrai dans une besace que je trouvai et marchai à travers champs pendant de longues heures. Au coucher du soleil, j'arrivai aux abords d'un village. Les cabanes, les chalets, les grandes maisons provoquèrent mon admiration. Les légumes dans les jardins, le lait et le fromage que je voyais exposés à la fenêtre de certains chalets excitèrent mon appétit. J'entrai dans l'un des plus cossus, mais j'avais à peine mis le pied à l'intérieur que les enfants se mirent à crier et qu'une femme s'évanouit. Tout le village fut en effervescence. Certains fuyaient, d'autres m'attaquèrent jusqu'à ce que, gravement meurtri par les pierres et les autres projectiles qu'on me lançait, je traverse la plaine en courant et trouve peureusement refuge dans une petite hutte, toute basse, misérable, comparée aux maisons du village. Cette hutte, cependant, était contiguë à un joli chalet où, après la triste expérience que je venais de faire, je n'osai pas entrer. Mon refuge en bois était si bas que j'avais toutes les difficultés à m'y tenir sans baisser la tête. Le sol était en terre battue, mais il était sec. Et même si le vent passait par de nombreuses fissures, j'étais à l'abri me parut-il de la neige et de la pluie.

« Je m'étendis par terre, heureux d'avoir trouvé un asile, même misérable, contre les rigueurs de la saison et la barbarie des hommes.

« Au matin, je me glissai hors de mon abri pour regarder le chalet adjacent et pour voir si je pouvais rester dans la hutte que j'avais découverte. Elle était située derrière le chalet, entre un abri pour porcs et un petit étang. Il n'y avait qu'une seule ouverture, celle par laquelle je m'étais glissé. Je la bouchai avec des pierres et du bois pour n'être vu par personne mais de telle sorte que je puisse à l'occasion y repasser. La lumière me venait de l'abri des porcs, et m'était suffisante.

« Après avoir aménagé mon abri et mis de la paille sur le sol, je me couchai ; je venais de voir, au loin, la silhouette d'un homme et, après le traitement que j'avais subi la nuit précédente, je voulais rester caché. J'avais pris mes précautions : j'avais du pain pour la journée, et une tasse avec laquelle je pourrais boire, plus facilement qu'en m'aidant de mes mains, l'eau qui coulait près de mon abri. Grâce à la proximité de la cheminée du chalet, la température était supportable.

« Étant ainsi pourvu, je décidai de rester dans cette hutte. C'était un paradis comparé à mon précédent abri dans la forêt, avec les branches gorgées d'eau et le sol humide. Je mangeai mon pain avec plaisir. J'étais sur le point de retirer une planche pour aller puiser de l'eau lorsque je perçus un bruit de pas. À travers une petite fissure, j'aperçus une jeune personne qui, un seau sur la tête, passait devant ma hutte. C'était une jeune fille d'aspect aimable, très différente des servantes que j'ai eu l'occasion de voir depuis dans les chalets et les fermes. Pourtant, elle était pauvrement habillée d'une jupe très ordinaire de couleur bleue et d'un corsage de toile. Ses cheveux blonds étaient tressés sans aucune parure. Elle avait l'air sereine mais triste. Je ne la vis plus, mais, au bout d'un quart d'heure, elle reparut avec son seau à présent partiellement rempli de lait. Comme elle s'avançait, visiblement gênée par son fardeau, un jeune homme, lui aussi mélancolique, vint à sa rencontre. Il prit le seau et le porta lui-même jusqu'au chalet. Elle le suivit et ils disparurent tous les deux. Mais bientôt, je revis le jeune homme. Il portait des outils à la main et gagnait le champ derrière le chalet. Quant à la jeune fille, elle travaillait tantôt dans la maison tantôt dans la cour.

« En inspectant ma hutte, je remarquai qu'une des fenêtres du chalet en avait autrefois formé une paroi mais que les vitres avaient été remplacées par des planches. J'y trouvai une fente minuscule mais suffisante pour laisser passer le regard. Par cet interstice, j'aperçus une petite pièce blanchie à la chaux et presque dépourvue de meubles. Dans un coin, près d'un maigre feu, un vieillard se tenait la tête entre les mains dans une attitude de désespoir. La jeune fille était occupée à mettre de l'ordre dans le chalet ; mais, à un moment, elle alla retirer un objet d'un tiroir et vint s'asseoir à côté du vieil homme, lequel se mit à jouer d'un instrument qui produisait des sons plus harmonieux que le chant de la grive ou du rossignol. C'était un spectacle délicieux, même pour moi, pauvre malheureux, qui n'avais auparavant jamais rien contemplé d'aussi beau. Les cheveux argentés et l'expression bienveillante du vieux fermier suscitèrent mon respect et, devant les gestes tendres de la fille, je fus saisi d'amour. Il joua un air triste qui arracha des larmes à son aimable compagne ; le vieillard s'en aperçut lorsqu'elle se mit à sangloter. Il prononça alors quelques mots et la jolie créature, abandonnant son ouvrage, s'agenouilla à ses pieds. Il la releva et lui sourit avec tant de gentillesse et d'affection que j'éprouvai des sensations particulièrement accablantes. C'était un mélange de peine et de plaisir que je n'avais encore jamais éprouvé, moi qui avais connu auparavant la faim, le froid et la chaleur. Je m'éloignai de la fenêtre, incapable de supporter ces émotions.

« Le jeune homme arriva, portant une charge de bois sur ses épaules. La fille l'accueillit à la porte, l'aida à décharger son fardeau et prit quelques bûches, qu'elle alla disposer sur le feu. Puis ils se retirèrent tous les deux dans un coin, où il lui montra un grand pain et un morceau de fromage. Elle parut satisfaite et partit arracher quelques racines et des plantes dans le jardin avant de les mettre dans de l'eau qu'elle mit ensuite sur le feu. Alors, elle reprit son travail, tandis que le jeune homme, dans le jardin, bêchait pour enlever des racines. Cette besogne l'occupa presque une heure. La jeune fille le rejoignit et ils entrèrent ensemble dans le chalet.

« Pendant ce temps-là, le vieillard était resté pensif. Toutefois, avec le retour de ses compagnons, il prit un air plus joyeux et ils s'assirent pour manger. Le repas fut rapidement avalé. La jeune fille remit de l'ordre dans le chalet pendant que le vieillard, appuyé au bras du jeune homme, se promenait quelques minutes au soleil. L'un était âgé, avec des cheveux d'argent et un visage rayonnant de bonté et d'amour. L'autre était jeune, avec des traits gracieux, malgré son regard empreint de tristesse. Le vieillard regagna le chalet et le jeune homme, avec d'autres outils que ceux qu'il avait employés le matin, partit en direction des champs.

« Lorsque tomba la nuit, ce fut avec une extrême stupéfaction que je découvris que les fermiers pouvaient prolonger la lumière au moyen de bougies, et je fus heureux de constater que même après le coucher du soleil je pouvais encore avoir le plaisir de les observer. Le soir, la jeune fille et son compagnon s'employèrent à diverses tâches que je ne compris pas. Le vieillard, lui, reprit cet instrument aux sons si mélodieux. Après avoir achevé son travail, le jeune homme commença, non pas à jouer, mais à émettre des sons monotones qui ne ressemblaient ni à ceux qui sortaient de l'instrument du vieillard ni au chant des oiseaux. Je devais apprendre par la suite qu'il lisait à haute voix mais, à cette époque, je ne connaissais rien de la science des mots et des lettres.

« Et, après s'être occupée de la sorte pendant un moment, la famille éteignit les lumières et se retira, je suppose, pour se reposer. »

Chapitre 12

« Étendu sur la paille, je ne parvenais pas à dormir. Je pensais aux événements de la journée. Ce qui m'avait le plus étonné, c'était la douceur de ces gens. J'aurais voulu me joindre à eux, mais j'avais peur. Je me souvenais trop bien du traitement que m'avaient fait subir le soir précédent les villageois barbares et je décidai provisoirement de rester tranquille dans mon abri, à observer les fermiers.

« Ils se levèrent le lendemain matin avant le soleil. La jeune femme mit de l'ordre dans le chalet et prépara la nourriture. Le jeune homme partit après son premier repas.

« Cette journée fut identique à celle de la veille. Le jeune homme était constamment occupé à l'extérieur et la fille à ses diverses occupations. Le vieillard, lui, je m'en rendis compte bientôt, était aveugle : il passait tout son temps à jouer de son instrument ou à méditer. L'amour et le respect que les jeunes fermiers portaient à leur vénérable compagnon étaient immenses. Ils lui rendaient avec douceur nombre de petits services et, en récompense, il leur adressait d'affectueux sourires.

« Mais ils n'étaient pas pleinement heureux. Le jeune homme et sa compagne se tenaient souvent à l'écart et semblaient pleurer. Je n'en comprenais pas la cause mais j'en étais profondément touché. Si des êtres aussi charmants étaient malheureux, il n'était donc pas étonnant que moi, créature imparfaite et solitaire, je sois misérable. Mais pourquoi cette peine ? Ils possédaient une charmante maison (du moins m'apparaissait-elle ainsi), avaient du feu pour se chauffer quand ils avaient froid et de la nourriture quand ils avaient faim. Ils portaient de bons vêtements. Bien plus : ils s'aimaient les uns les autres. Alors que signifiaient leurs larmes ? Je fus d'abord incapable d'y répondre mais, à force d'observation, je finis par comprendre de nombreux faits qui, au premier abord, m'avaient semblé des énigmes.

« Une longue période s'écoula avant que je ne découvre une des causes de leur malheur : ils étaient d'une extrême pauvreté, ne se nourrissaient que des légumes du jardin et du lait d'une vache qui avait fort maigri durant l'hiver et qu'ils avaient grand-peine à nourrir. Ils devaient souvent être tiraillés par la faim, plus particulièrement les deux jeunes qui, la plupart du temps, présentaient de la nourriture au vieillard et ne gardaient rien pour eux.

« Cette bonté m'émut beaucoup. J'avais pris l'habitude, durant la nuit, de voler une partie de leurs aliments pour ma propre consommation mais, quand je me rendis compte qu'en agissant de la sorte je leur portais préjudice, je cessai et me contentai de baies, de noix et de racines que je ramassais dans un bois voisin.

« Je découvris aussi une autre façon de les aider. J'avais constaté que le jeune homme passait chaque jour beaucoup de temps à rassembler du bois. Aussi, pendant la nuit, je m'emparai de ses outils, dont j'avais vite compris l'usage, et en rapportai assez pour plusieurs jours.

« Je me souviens que la première fois que je fis cela, la jeune femme, le matin, alors qu'elle venait d'ouvrir la porte, parut très étonnée en voyant la grande pile de bois sur le seuil. Elle prononça à haute voix quelques paroles et le jeune homme la rejoignit pour, lui aussi, exprimer sa surprise. Je constatai avec plaisir que ce jour-là il n'alla pas dans la forêt et utilisa sa journée à réparer son chalet et à cultiver le jardin.

« Progressivement, je fis une découverte plus grande encore : les sons articulés par lesquels ils se faisaient part de ce qu'ils éprouvaient. Les mots dont ils se servaient produisaient tantôt le plaisir ou la peine, tantôt le sourire ou la tristesse sur la physionomie de ceux qui les entendaient. C'était là une science divine que je brûlais d'acquérir. Mais toutes mes tentatives échouèrent. Leur prononciation était rapide et les mots qu'ils employaient ne semblaient pas avoir de rapport avec les objets visibles, et j'étais incapable de découvrir le moindre indice pour me permettre de comprendre leurs allusions. Cependant, avec une grande application, après être resté dans ma hutte le temps de plusieurs révolutions lunaires, je découvris les noms qu'ils donnaient dans leurs dialogues à la plupart de leurs objets familiers. J'appris et employai les mots *feu*, *lait*, *pain* et *bois*. J'appris aussi leurs noms. Le vieillard n'en avait qu'un seulement, qui était *père*. Le jeune homme et la jeune fille en avaient plusieurs. La fille était appelée *sœur* ou *Agathe*, le jeune homme *Félix*, *frère* ou *fils*. Quelle ne fut pas ma joie quand je compris quelles idées correspondaient à chacun de ces sons et quand je sus les prononcer moi aussi. Je distinguai d'autres mots encore mais sans pouvoir les comprendre ni les appliquer, tels que *bon*, *très cher*, *malheureux*.

« Ainsi se passa l'hiver. Je m'étais attaché à ces fermiers. Quand ils étaient malheureux, je l'étais aussi. Quand ils riaient, je partageais leur allégresse. En dehors d'eux, je voyais peu de gens, et quand par hasard certains d'entre eux entraient dans la ferme, ils avaient des manières grossières, ce qui, par comparaison, renforçait ma sympathie pour mes amis. Le vieillard, je l'avais remarqué, engageait souvent ses enfants, ainsi les appelait-il quelquefois, à dissiper leur mélancolie. Il parlait alors en s'efforçant à la gaieté, avec une expression de bonté qui me réchauffait le cœur à moi aussi, et Agathe l'écoutait avec respect, en essuyant les larmes de ses yeux. Mais quand son père avait parlé ainsi, je remarquai que son visage était radieux, et sa voix plus enjouée. Il n'en était pas de même pour Félix, le plus triste de tous, qui me donnait, malgré mon inexpérience, l'impression d'avoir davantage souffert. Mais sa voix était encore plus douce que celle de sa sœur, lorsqu'il s'adressait au vieillard.

« Je pourrais citer de nombreux exemples de leur bonne entente. Félix offrit spontanément à sa sœur la première petite fleur blanche qui avait percé sous le tapis de neige. Très tôt le matin, avant qu'elle ne se lève, il balayait la neige sur le chemin de l'étable, tirait de l'eau du puits et rapportait une provision de bois, qu'une main inconnue, à son grand étonnement, continuait de lui fournir. Pendant la journée, il travaillait, je crois, dans une ferme du voisinage, car il partait souvent tôt le matin et ne rentrait que le soir, sans rapporter du bois. À d'autres moments, il travaillait au jardin ou, comme il y a moins à faire l'hiver, faisait la lecture au vieillard et à Agathe.

« Ces lectures, au début, m'avaient extrêmement intrigué. Peu à peu, je me rendis compte que les sons émis lorsqu'il parlait étaient les mêmes que ceux émis lorsqu'il lisait. J'en déduis qu'il trouvait sur le papier des signes qui lui permettaient de parler et qu'il comprenait et que j'aurais voulu moi aussi connaître. Mais comment puisque je ne pouvais pas saisir les sons correspondant à ces signes ? Néanmoins, je fis des progrès en ce domaine, mais ils n'étaient pas suffisants pour me permettre de suivre une conversation quelconque. J'avais une grande envie de révéler ma présence aux fermiers, mais je pressentais qu'il valait mieux ne rien tenter avant d'avoir réussi à maîtriser leur langage car, étant capable de me faire comprendre, je pourrais faire oublier mes difformités, et là aussi j'avais pu mesurer les différences existant entre eux et moi.

« J'avais admiré la perfection de leurs corps, leur grâce, leur beauté, la délicatesse de leur teint, alors que je me terrifiais moi-même lorsque je voyais mon reflet dans l'eau ! La première fois, je m'étais jeté en arrière, ne pouvant pas croire que c'était moi que le miroir réfléchissait. Mais lorsque je compris que j'étais un monstre, mon humiliation fut aussi grande que mon amertume. Hélas ! Je ne connaissais pas tout à fait encore les effets fatals de cette difformité !

« À mesure que le soleil devenait plus chaud et que les journées s'allongeaient, la neige disparaissait et je voyais les arbres nus et la terre noire. À partir de ce moment-là, Félix travailla davantage et la menace de la famine disparut. Leur nourriture, ainsi que je m'en aperçus par la suite, était simple mais saine. Elle suffisait à leurs besoins. Plusieurs nouvelles sortes de plantes poussèrent dans leur jardin. Et tous les jours, avec la saison qui avançait, les signes de bien-être se multiplièrent.

« Quand il ne pleuvait pas, le vieillard, soutenu par son fils, effectuait sa promenade quotidienne. J'appris ainsi le mot qui désignait l'eau tombant du ciel. Ce phénomène-là était fréquent, mais, rapidement, un grand vent séchait la terre et la saison devenait de plus en plus agréable.

« Ma manière de vivre dans ma hutte ne changeait pas. Durant la matinée, j'observais les allées et venues des fermiers, et lorsqu'ils étaient occupés, je dormais. Le reste de la journée, je les guettais encore. À l'heure où ils allaient se coucher, s'il y avait la lune et que la nuit était claire, je gagnais les bois pour me nourrir et rapporter du bois. À mon retour, chaque fois que c'était nécessaire, j'enlevais la neige du sentier et accomplissais certaines besognes que j'avais vu faire par Félix. Ces travaux exécutés par une main invisible les étonnaient toujours autant. Une ou deux fois, à ce propos, je les entendis employer des mots comme *bon génie* ou *merveilleux*, mais j'ignorais alors la signification de ces termes.

« Ma pensée, à présent, devenait plus vive et je voulais découvrir les raisons d'être et les sentiments de ces charmantes créatures. J'étais curieux de savoir pourquoi Félix avait l'air si malheureux et Agathe si triste. Je pensais (fou que j'étais !) qu'il était en mon pouvoir de leur redonner le bonheur. Quand je dormais, leur image me hantait l'esprit. Je les tenais pour des êtres supérieurs qui seraient les arbitres de ma destinée. J'imaginais mille manières de me présenter à eux et de me faire accueillir, je pressentais leur panique, mais je me disais que par un comportement affable et des paroles conciliantes je pourrais gagner leur bienveillance, et ensuite leur amitié.

« Toutes ces réflexions me poussaient à m'appliquer avec ardeur à l'étude de leur langue. Mes organes étaient frustres peut-être, mais souples, et si ma voix était plus rude que la leur, je prononçais déjà certains mots que j'avais compris avec facilité.

« Les averses rafraîchissantes et l'agréable température du printemps changèrent l'aspect de la nature. Les hommes qui avant ce changement semblaient s'être tenus cachés dans des grottes se dispersèrent pour s'adonner à diverses sortes de culture. Les oiseaux lancèrent des notes plus gaies et les feuilles se mirent à bourgeonner sur les arbres. Heureuse, heureuse nature qui, il y a peu encore, était glaciale, humide et malsaine ! Le passé s'effaçait de ma mémoire, le présent était calme et l'avenir s'annonçait riche d'espérance ! »

Chapitre 13

« Maintenant il faut que je raconte les événements qui ont fait ce que je suis devenu.

« Le printemps s'avançait, la température s'adoucissait et le ciel s'éclaircissait. J'étais surpris de voir que ce qui était auparavant désert et triste devenait à présent fleuri et verdoyant. Mes sens étaient charmés par mille senteurs délicieuses.

« Un jour que les fermiers se reposaient après leur travail – le vieil homme jouant de la guitare et ses enfants l'écoutant –, je m'aperçus que le visage de Félix était d'une intense mélancolie. Il soupirait fréquemment, et son père s'en arrêta de jouer ; je supposai qu'il s'inquiétait de la tristesse de son fils. Félix répondit d'une façon enjouée, et le vieil homme allait recommencer à jouer lorsqu'on frappa à la porte.

« C'était une femme à cheval, guidée par un paysan. Elle était habillée d'un costume noir et portait un voile sombre. Agathe lui posa une question, et l'étrangère, dans sa réponse, ne prononça d'une voix douce que le nom de Félix. En entendant son nom, Félix s'avança vers la dame, laquelle, lorsqu'elle le vit, releva son voile, et je pus voir son visage d'une beauté angélique. Ses cheveux étaient noirs et curieusement tressés. Ses yeux, noirs aussi, étaient doux mais vifs. Ses traits étaient harmonieux, ses joues se coloraient d'un rose délicat.

« Félix parut heureux de la voir, car toute sa tristesse disparut. Ses yeux brillaient et ses joues rougissaient de plaisir : à cet instant, je le trouvai aussi beau que l'étrangère. Elle semblait la proie de sentiments divers. Elle essuya quelques larmes et tendit la main à Félix. Il la baisa avec cérémonie et l'appela, me sembla-t-il, sa délicieuse Arabe. Elle ne parut pas comprendre mais sourit. Il l'aida à descendre de cheval et, après avoir congédié le guide, il la conduisit dans le chalet. Une conversation s'engagea alors entre lui et son père, et la jeune étrangère alla s'agenouiller devant le vieil homme et voulut lui baiser la main. Mais il la releva et l'embrassa avec affection.

« Je m'aperçus que l'étrangère prononçait des sons articulés dans un langage qui lui semblait propre, et que si elle ne comprenait pas mes amis, mes amis, eux, ne pouvaient la comprendre. Ils échangèrent de nombreux signes que je ne compris pas non plus. Sa présence avait apporté la joie dans le chalet. Félix était le plus heureux de tous et s'empressait auprès d'elle en souriant, tandis que la douce Agathe, lui étreignant les mains, lui faisait comprendre par signe combien ils étaient tristes jusqu'à son arrivée. Plusieurs heures s'écoulèrent. Par la répétition fréquente du même son qu'ils prononçaient et que l'étrangère, de son côté, tentait de reproduire, je compris qu'elle cherchait à apprendre leur langue. L'idée me vint de faire pareil. Lors de cette première leçon, l'étrangère apprit une vingtaine de mots. Je les connaissais pour la plupart mais assimilai les autres.

« À la nuit tombante, Agathe et l'Arabe se retirèrent. Au moment de se séparer, Félix embrassa les mains de l'étrangère en lui disant : "Bonsoir, douce Safie". Il resta longtemps à parler avec son père. Comme il répétait souvent ce nom, je supposai qu'elle était le sujet de leur conversation, mais il me fut impossible de les comprendre.

« Le matin suivant, Félix partit travailler et, après qu'Agathe eut achevé ses tâches habituelles, l'Arabe s'assit aux pieds du vieillard et, prenant sa guitare, se mit à jouer des airs si beaux que j'en pleurai à la fois de joie et de tristesse. Sa voix était aussi douce et pure que celle du rossignol.

« Quand elle eut fini, elle tendit la guitare à Agathe, qui hésita avant de jouer une mélodie plus simple, sur laquelle elle se mit à chanter d'une voix certes douce, mais moins émouvante que celle de l'étrangère. Le vieil homme ne cachait pas son plaisir et prononça quelques mots qu'Agathe tenta d'expliquer à Safie.

« Les jours, désormais, s'écoulaient aussi paisiblement que par le passé, mais avec une différence : sur le visage de mes amis, la joie avait remplacé la tristesse. Safie était toujours gaie et heureuse. Elle et moi, nous fîmes de rapides progrès dans l'étude du langage, si bien qu'en deux mois je pouvais commencer à comprendre la plupart des mots utilisés par mes protecteurs.

« La terre noire était devenue verdoyante, parsemée d'innombrables fleurs, douces à l'odorat et à la vue. Le soleil était de plus en plus chaud, les nuits devinrent claires et embaumées. Mes escapades nocturnes, bien que plus courtes à cause du coucher tardif et du lever très matinal du soleil, me procuraient un plaisir beaucoup plus grand. Pendant la journée, je ne m'aventurais jamais à l'extérieur, craignant de subir un traitement identique à celui que j'avais subi la première fois que j'étais entré dans un village.

« Je m'appliquais chaque jour davantage, car je voulais maîtriser la langue le plus rapidement possible. Je suis fier d'avoir fait des progrès plus rapides que l'Arabe.

« Tout en apprenant à parler, j'étudiai aussi la science des lettres qui était enseignée à l'étrangère, ce qui m'ouvrit un vaste champ d'émerveillement.

« Le livre dont Félix se servait pour instruire Safie était *La Ruine des Empires*, de Volney. Félix l'expliquait en le lisant, et l'avait choisi, disait-il, parce que son style déclamatoire imitait les auteurs orientaux. Grâce à cet ouvrage, j'eus un aperçu de l'histoire et une vue d'ensemble sur les divers empires du monde. Je découvris de la sorte les mœurs, les gouvernements et les religions des différentes nations de la terre. J'entendis parler des Asiatiques nonchalants, du génie des Grecs, des guerres et des vertus des anciens Romains, puis de leur décadence, de la chevalerie, du christianisme et des rois. J'entendis également parler de la découverte de l'Amérique et, comme Safie, je fus attristé du sort misérable réservé à ses premiers occupants.

« Ces merveilleux récits m'inspirèrent des sentiments étranges. L'homme était-il donc à la fois si puissant, si vertueux, si magnifique en même temps que si vicieux et si bas ? À certains moments, il apparaissait comme une branche de l'arbre du mal, et à d'autres, comme l'expression de la noblesse et du divin. Être un homme grand et vertueux semblait être le plus grand honneur, pour un être sensible. Être bas et vicieux, ainsi que beaucoup d'individus l'avaient été, apparaissait comme la dégradation la plus basse, une condition plus abjecte que celle de la taupe aveugle ou du misérable ver de terre. Longtemps, j'eus du mal à comprendre qu'un homme soit capable de tuer son semblable, et que des lois et des gouvernements soient nécessaires ; mais quand il fut fait mention de vice et de carnage, mon étonnement cessa et je m'en détournai avec dégoût.

« Chaque conversation entre les fermiers me faisait découvrir de nouvelles merveilles. Ce fut en suivant l'enseignement que Félix dispensait à la jeune Arabe que j'appris l'étrange système de la société humaine : j'entendis parler de la division de la propriété, de l'immense richesse des uns, de l'extrême pauvreté des autres, de rang, de descendance, de sang noble.

« Ces paroles m'incitèrent à réfléchir sur moi-même. J'appris que ce que vous autres humains estimiez le plus était une origine noble alliée à une grande fortune. Un seul de ces avantages suscitait le respect. Sans l'un ou l'autre, il passait, sauf en de rares exceptions, pour un vagabond ou un esclave, et était condamné à se sacrifier au bénéfice de quelques élus ! Qui étais-je donc ? Je ne savais rien de ma création et de mon créateur, n'avais ni fortune ni amis, mais possédais, en revanche, un aspect hideux, difforme et repoussant. Je n'étais pas un individu normal, mais étais plus agile que les hommes et pouvais subsister avec une nourriture plus grossière. Je supportais plus aisément les températures les plus extrêmes, et étais plus grand qu'eux. Rien autour de moi ne me ressemblait. Étais-je donc un monstre, une erreur sur la terre, que tous les hommes fuyaient et rejetaient ?

« Après de telles réflexions, l'angoisse s'empara de moi, sans que je parvienne à la chasser. Mon chagrin croissait avec mon savoir. Pourquoi n'étais-je pas resté dans ma forêt natale, où je n'y aurais connu que la faim, la soif, ou la chaleur !

« La connaissance est étrange ! Elle s'accroche à l'esprit dès qu'elle l'a touché, comme le lichen sur le rocher. J'admirais la vertu et les bons sentiments et j'aimais les manières aimables et les qualités de mes fermiers, mais n'avais aucune relation avec eux, si ce n'est celles que j'avais suscitées par ruse, en restant invisible. Les gentilles paroles d'Agathe, les sourires chaleureux de la charmante Arabe ne m'étaient pas destinés. Les encouragements du vieil homme et la conversation de Félix non plus. Je n'en étais que plus malheureux et plus seul !

« D'autres enseignements m'impressionnèrent davantage. J'entendis parler de la différence entre les sexes, de la naissance et de la croissance des enfants, de la joie d'un père devant le sourire d'un nouveau-né, de l'amour d'une mère pour sa famille, de l'intelligence qui se développe pendant la jeunesse, de frère, de sœur, et de tous ces multiples liens de parenté qui unissent entre eux les êtres humains.

« Mais où étaient mes amis et ma famille ? Aucun père n'avait veillé sur moi, aucune mère ne m'avait comblé de caresses, et si cela avait été le cas, je ne me souvenais de rien, je n'avais que néant derrière moi. Aussi loin que je pouvais me rappeler, j'avais toujours eu le même aspect, la même taille. Personne ne me ressemblait et personne n'avait voulu me rencontrer. Qu'étais-je donc ? La question revenait sans cesse et je ne savais y répondre que par des gémissements.

« Je vous expliquerai bientôt vers quoi tendaient tous ces sentiments, mais revenons-en d'abord à mes protecteurs (car, dans ma naïveté, c'est ainsi que je les appelais) dont l'histoire suscitait en moi des sentiments variés d'indignation, de joie et d'étonnement, mais qui n'aboutissaient qu'à me les faire aimer et respecter davantage. »

Chapitre 14

« Il me fallut du temps pour connaître l'histoire de mes amis. Elle m'impressionna profondément, d'autant que je n'avais quasiment aucune expérience de la vie.

« Le nom du vieil homme était de Lacey. De vieille famille française il avait, durant de nombreuses années, vécu dans l'opulence, respectant ses supérieurs et étant apprécié de ses pairs. Son fils avait été élevé pour servir son pays et Agathe fréquentait les dames de la haute société. Quelques mois encore avant mon arrivée, ils vivaient dans une grande et luxueuse ville nommée Paris, parmi leurs amis, jouissant de tous les privilèges que procurent rang, vertu, intelligence et fortune.

« Le père de Safie avait été la cause de leur ruine. C'était un marchand turc qui habitait déjà Paris depuis quelques années lorsque, pour une raison qui m'échappa, il fut arrêté et emprisonné le jour même où Safie arrivait de Constantinople pour le rejoindre. Il avait été jugé et condamné à mort. L'injustice de cette sentence avait indigné tout Paris, et l'on supposait que sa sévérité était davantage la conséquence de sa religion et de sa richesse que de la faute commise.

« Par hasard, Félix avait assisté au procès. La décision de la cour l'avait indigné. Il avait fait le vœu de délivrer cet homme. Ayant à plusieurs reprises tenté, en vain, de pénétrer dans la prison, il remarqua qu'une fenêtre grillagée, dans une partie non gardée du bâtiment, donnait accès à la cellule du malheureux Turc. Celui-ci, chargé de chaînes, attendait dans le désespoir son exécution. Une nuit, Félix parvint à la grille et informa le prisonnier de son projet de le faire évader. Le Turc, aussi étonné que ravi, encouragea son sauveteur et lui promit une forte récompense, ce que Félix repoussa avec mépris. Néanmoins, quand il vit la belle Safie qui avait l'autorisation de rendre visite à son père, il pensa que le prisonnier possédait en sa fille un trésor qui le dédommagerait largement de ses efforts et des risques pris.

« Le Turc, rapidement, remarqua l'attrait que sa fille exerçait sur Félix et promit sa main à son sauveteur, dès qu'il serait en lieu sûr. Félix, par délicatesse, n'accepta pas cette proposition, mais ne la repoussa pas.

« Durant les jours suivants, tandis qu'il préparait l'évasion du marchand, il s'enflamma davantage quand leur parvinrent les nombreuses lettres que lui adressait la jeune fille. Elle pouvait s'exprimer dans sa langue par l'intermédiaire d'un domestique du Turc qui connaissait le français. Elle remerciait chaleureusement Félix pour les efforts et en même temps se penchait avec tristesse sur son propre destin.

« J'ai des copies de ces lettres, car j'ai trouvé le moyen, pendant mon séjour dans la hutte, de me procurer le nécessaire pour écrire : elles sont souvent de la main de Félix ou d'Agathe. Avant mon départ, je te les remettrai : elles serviront de preuve à mon histoire. Mais pour l'heure, comme le soleil est déjà très bas, je n'aurai que le temps de les résumer.

« Safie y racontait que sa mère était une Arabe chrétienne qui avait été capturée et réduite en esclavage par les Turcs. Mais sa beauté avait séduit le père de Safie qui l'avait épousée. Elle avait élevé sa fille dans le mépris de l'esclavage et dans les principes de sa religion, lui avait appris à développer son intelligence et son indépendance d'esprit, ce que l'islam refusait aux femmes. Elle était morte, mais son enseignement avait marqué Safie. Pour rien au monde, elle ne voulait retourner en Asie et être enfermée entre les murs d'un harem où elle n'aurait que des divertissements puérils indignes de ses aspirations. Le projet d'épouser un chrétien, de vivre dans un pays où les femmes pouvaient tenir un rang dans la société, l'enchantait.

« La nuit précédant le jour de l'exécution du Turc eut lieu l'évasion, et avant l'aube, l'homme se trouvait déjà à plusieurs lieues de Paris. Félix s'était procuré des passeports au nom de son père, de sa sœur et de lui-même. Au préalable, il avait averti son père, qui l'avait aidé en quittant sa maison, prétextant un voyage, en fait pour aller se cacher avec sa fille dans Paris.

« Félix conduisit les fugitifs à travers la France jusqu'à Lyon, et de là gagna Livourne en passant par le col du Mont-Cenis, où le marchand avait décidé d'attendre une occasion favorable pour rallier un territoire turc.

« Safie décida de rester avec son père jusqu'au moment de son départ, d'autant que ce dernier avait renouvelé sa promesse de marier sa fille à son libérateur. Félix resta donc avec eux, se réjouissant de passer son temps en compagnie de Safie qui faisait preuve à son égard d'une égale affection. Ils se parlaient par l'intermédiaire d'un interprète mais, le plus souvent, se contentaient d'échanger des regards ; Safie lui chantait les mélodies de son pays natal.

« Le Turc, apparemment, encourageait cette complicité entre les jeunes amoureux, bien qu'en son for intérieur il réfléchît à d'autres plans. Il acceptait mal l'idée que sa fille épouse un chrétien, mais craignait la réaction de Félix s'il le lui faisait comprendre : le jeune homme aurait pu, après l'avoir libéré, le dénoncer aux autorités italiennes. Il continua à donner le change, en se préparant à emmener secrètement sa fille avec lui lorsque le moment de partir serait venu. Ses projets furent facilités par les nouvelles reçues de Paris.

« Le gouvernement français, furieux de l'évasion, avait tout mis en œuvre pour en rechercher et punir le complice. Le complot de Félix avait été rapidement découvert et de Lacey et Agathe avaient été jetés dans un cachot. Ces nouvelles arrachèrent Félix à ses rêves de bonheur. Son père âgé et aveugle ainsi que sa sœur se trouvaient en prison, alors que lui-même était libre et en compagnie de quelqu'un qu'il aimait. Cette idée était pour lui une torture. Il s'arrangea avec le Turc afin que si ce dernier trouvait l'occasion de s'échapper avant son retour, il place Safie en pension dans un couvent de Livourne ; puis, quittant la belle Arabe, il revint en hâte à Paris se livrer, espérant ainsi faire libérer de Lacey et Agathe.

« Ce fut un échec. Ils restèrent tous les trois en prison pendant cinq mois avant d'être jugés, et condamnés à l'exil perpétuel hors de leur propre pays, ainsi qu'à la saisie de leurs biens.

« Ils trouvèrent un asile misérable dans un chalet en Allemagne, là où je les découvris. Félix y apprit bientôt que le Turc, pour lequel lui et sa famille avaient tant enduré, l'avait trahi, et que sachant son sauveur ruiné, avait quitté l'Italie avec sa fille, en lui faisant l'ultime insulte de lui envoyer une petite somme d'argent pour l'aider, selon ses termes, à refaire surface.

« C'étaient là les raisons pour lesquelles Félix, le cœur rongé, semblait le plus malheureux de la famille, à l'époque où je l'avais vu pour la première fois. La pauvreté et les revers de fortune ne faisaient que renforcer son courage, mais l'ingratitude du Turc et le départ de Safie le minaient terriblement. La venue de la jeune fille lui avait insufflé une nouvelle vie.

« Quand la nouvelle parvint à Livourne que Félix avait perdu sa fortune et son rang, le marchand avertit sa fille qu'elle devait oublier celui qu'elle aimait et se préparer à leur retour au pays natal. La nature généreuse de Safie se révolta, mais ses protestations ne firent qu'irriter davantage son père.

« Quelques jours plus tard, le Turc entra dans l'appartement de sa fille pour lui dire qu'il pensait que sa présence à Livourne avait été découverte et que, pour ne pas être rapidement livré au gouvernement français, il avait loué un bateau pour Constantinople et qu'il comptait y partir dans quelques heures. Il envisageait de laisser Safie sous la garde d'un serviteur de confiance jusqu'à ce qu'elle le rejoigne par la suite, avec la plus grande partie de ses biens qui n'étaient toujours pas parvenus à Livourne.

« Une fois seule, Safie étudia la situation. Retourner en Turquie lui était insupportable ; sa religion et ses sentiments le lui interdisaient. Des papiers de son père étant tombés entre ses mains, elle apprit l'exil de son Félix et découvrit le nom de l'endroit où il s'était retiré. Elle hésita un peu, puis, prenant avec elle ses bijoux et de l'argent, elle quitta l'Italie en compagnie d'une servante née à Livourne, mais qui parlait un peu le turc, et prit la route de l'Allemagne.

« Safie atteignit sans encombre une ville à quelque vingt lieues de la ferme des de Lacey. Mais la servante étant tombée gravement malade, Safie la soigna sans toutefois parvenir à l'arracher à la mort. Safie, qui ne connaissait ni la langue du pays ni les usages en vigueur, resta tout à fait seule. Heureusement pour elle, elle tomba dans de bonnes mains. L'Italienne, avant de mourir, avait dit à la femme qui les hébergeait le nom de l'endroit où elles devaient se rendre ; cette femme prit Safie en charge, et, grâce à elle, elle put rejoindre le chalet. »

Chapitre 15

« Voici l'histoire de mes chers amis. Elle m'impressionna et à travers elle j'appris à admirer les vertus et à détester les vices de l'humanité.

« Jusque-là, j'avais considéré le crime comme un mal lointain ; la bienveillance et la générosité, je les avais sans cesse devant moi, et j'avais envie, à mon tour, de devenir acteur de cette pièce dont je n'étais que le spectateur. Il se produisit, au début du mois d'août de cette même année, un événement qui fut déterminant dans la progression de mon intelligence.

« Une nuit, où comme d'habitude j'allais dans la forêt voisine cueillir ma nourriture et rapporter du bois à mes protecteurs, je trouvai une valise de cuir qui contenait quelques vêtements et des livres. Je m'en emparai et gagnai ma cabane. Par bonheur, les livres étaient écrits dans la langue dont j'avais appris les rudiments dans le chalet. C'était le *Paradis perdu*, un volume des *Vies de Plutarque* et *les Souffrances de Werther*. Ces trésors me procurèrent une joie énorme. J'entrepris de les lire tandis que mes amis vaquaient à leurs occupations quotidiennes.

« Ces livres suscitaient en moi une infinité d'images et de sensations qui pouvaient m'enivrer jusqu'à l'extase ou me précipiter dans la dépression la plus noire. Dans *les Souffrances de Werther*, je trouvai une source inépuisable d'étonnement. Les mœurs décrites, ainsi que les sentiments, correspondaient à ce que je ressentais vis-à-vis de mes protecteurs.

« Tout en lisant, je mettais en parallèle mes sentiments et ma condition. Je me trouvais semblable et en même temps différent, comparé aux personnages de mes lectures et à ceux dont j'écoutais les conversations.

Ils m'étaient sympathiques, je les comprenais en partie, mais des points restaient obscurs. Je ne dépendais de personne, je n'étais lié à personne. Personne ne pleurerait ma disparition. J'étais hideux, d'une taille monstrueuse. Pourquoi ? Qui étais-je ? Qu'étais-je ? D'où étais-je issu ? Quel avenir avais-je ? Ces questions me taraudaient sans que je sois capable d'y répondre.

Le volume des *Vies de Plutarque* que j'avais traitait de l'histoire des premiers fondateurs des républiques antiques. Avec Werther, j'avais connu l'abattement et la mélancolie. Avec Plutarque, je m'élevais au-dessus de ma médiocre condition pour admirer les héros des époques anciennes. Beaucoup de ce que je lisais m'était incompréhensible, je n'avais qu'une très vague notion des royaumes, des pays immenses, des grands fleuves, des océans sans fin. J'ignorais tout des villes et de leurs foules. Le chalet de mes protecteurs avait été la seule école de la vie. Ce livre m'ouvrait de nouveaux et vastes horizons. J'y lus que des hommes de gouvernement massacraient leurs semblables. Je sentais monter en moi l'attirance pour la vertu et l'horreur du vice, bien que pour moi la signification de ces mots ait été incomplète, car je ne les appliquais qu'au plaisir et à la souffrance. J'admirai les législateurs les plus pacifiques. Si ma première approche de l'humanité avait été illustrée par un jeune soldat épris de gloire, peut-être mes sensations auraient-elles été différentes.

« Quand au *Paradis perdu*, il me marqua aussi, mais autrement. Je crus que c'était une histoire vraie, et m'étonnai de ce qu'un Dieu omnipotent parte en guerre contre ses créatures. Je comparais certaines situations décrites avec celles que je vivais. Comme Adam, j'étais seul dans l'existence. Mais, sur bien d'autres points, son cas différait du mien. C'était une créature parfaite, heureuse, protégée par le Créateur qui l'avait pétri de ses mains. Il pouvait converser avec des êtres supérieurs et s'instruire à leur contact, alors que moi j'étais misérable, démuni et seul. Plusieurs fois je trouvai en Satan la personnification de ma condition, car, comme lui, quand je voyais que mes protecteurs étaient heureux, j'en ressentais de l'envie.

« Un autre événement vint augmenter ce sentiment. Peu de temps après mon installation dans la cabane, j'avais découvert quelques papiers dans la poche d'un vêtement que j'avais pris dans le laboratoire. Étant en mesure de les déchiffrer, je me mis à les étudier. C'était ton journal des quatre mois d'avant ma création. En étaient minutieusement décrites les étapes. Tu t'en souviens sans doute. Voici ces notes ! Tout le détail de mes origines maudites y est inscrit, y compris la description précise de mon odieuse et repoussante personne, en des termes qui témoignent de ton horreur. J'étais, moi aussi, horrifié en les lisant.

« — Maudit soit le jour qui m'a vu naître ! m'écriai-je de désespoir. Créateur détesté, pourquoi m'as-tu fait si laid que toi-même en ressens du dégoût ? Dieu dans sa miséricorde a fait l'homme beau et attirant, d'après sa propre image ; mais moi je ne suis qu'une caricature de mon créateur, rendue plus horrible encore parce qu'à sa ressemblance. Satan, lui, avait des démons pour l'admirer et l'encourager, tandis que moi je suis seul et détesté.

« Voilà à quoi je songeais dans ma solitude et mon désespoir. Pourtant, témoin de leur bienveillance, je me persuadais que mes voisins, dès l'instant où ils s'apercevraient de mon admiration à leur égard, auraient pitié de moi et passeraient sur ma laideur. Ils ne pouvaient pas rejeter un être qui mendiait leur compassion et leur amitié sous prétexte qu'il était monstrueux. Je me préparai à cette rencontre dont dépendrait mon sort, mais repoussai ce moment capital car je craignais qu'il n'échoue. En outre, chaque jour passé m'apportait plus de savoir et plus d'expérience, je devenais plus clairvoyant.

« Dans l'intervalle, certains changements s'étaient produits au chalet. Safie y avait apporté le bonheur, et il y régnait une plus grande abondance. Félix et Agathe, aidés par des domestiques, passaient davantage de temps en distractions et en discussions. Ils ne semblaient pas riches mais ils étaient heureux, et d'autant plus sereins que mes sentiments devenaient plus tumultueux. Plus je me développais en intelligence, et plus je percevais ma misère. Il suffisait que j'aperçoive mon reflet dans l'eau ou mon ombre au clair de lune pour reperdre espoir.

« Je m'efforçais de chasser ces inquiétudes et de me préparer à l'épreuve que j'étais décidé à subir dans quelques mois. Parfois, je rêvais des jardins du paradis où de charmantes et angéliques créatures m'arrachaient de mes ténèbres. Mais ce n'était que des songes, je n'avais pas d'Ève pour me charmer et consoler mes peines. J'étais seul. Je me souvenais des supplications d'Adam à son Créateur. Où était le mien ? Il m'avait abandonné, et je l'en maudissais !

« L'automne passa. Avec regret, je vis les feuilles se flétrir et tomber et la nature redevenir triste et froide, comme la première fois où j'avais découvert les forêts et la lune. Grâce à ma constitution, qui me permettait de mieux supporter le froid que la chaleur, je ne souffrais pas des rigueurs du climat. L'une de mes joies avait été la grâce des fleurs et des oiseaux dans le grand spectacle estival. Cela disparut, je reportais toute mon attention sur les habitants du chalet. La disparition de l'été ne diminua pas leur bonheur. Ils s'aimaient mutuellement, chacun trouvait sa joie chez l'autre et ce qui se passait au-dehors leur était indifférent. Plus je les voyais, plus j'avais envie de gagner leur protection et leur amitié. Voir leurs regards se poser sur moi avec affection était mon idéal. Je n'osais pas envisager qu'ils puissent se détourner de moi avec horreur. Le pauvre qui s'arrêtait devant leur porte n'était jamais éconduit. Je demandais, c'est vrai, de plus grands trésors qu'un peu de nourriture et de repos : j'exigeais affection et sympathie, car j'estimais ne pas en être indigne.

« L'hiver avançait. Le cycle complet des saisons s'était déroulé depuis que j'avais reçu la vie. Je ne faisais rien, sauf de préparer le plan pour entrer dans le chalet de mes protecteurs. J'élaborai de nombreux projets et me décidai finalement à entrer lorsque le vieil aveugle serait seul. J'étais assez conscient pour me rendre compte que ma laideur physique était la principale cause de la répulsion que je provoquais chez ceux qui m'avaient entrevu. Ma voix, quoique désagréable, n'avait en elle-même rien de terrible. Je pensais donc qu'en l'absence de ses enfants je pouvais gagner la confiance du vieux de Lacey et que par son intermédiaire je pourrais me faire accepter par mes jeunes protecteurs.

« Un jour, comme le soleil brillait sur les feuilles rougeâtres qui jonchaient le sol, Safie, Agathe et Félix partirent en promenade, de telle sorte que le vieil homme, ainsi que je l'avais espéré, resta seul. Quand ses enfants se furent éloignés, il prit sa guitare et se mit à jouer des airs encore plus tristes et plus doux que ceux que j'avais entendus auparavant. Tout d'abord, ses traits s'éclairèrent de plaisir, mais, au fur et à mesure qu'il jouait, ils devenaient sombres et tristes. À la fin, laissant de côté son instrument, il se plongea dans ses méditations.

« Mon cœur battait très vite. C'était l'heure, le moment décisif où mes espoirs allaient se réaliser ou être anéantis. Les domestiques étaient à une foire toute proche. Autour du chalet, tout était silencieux. L'occasion était excellente. Pourtant, au moment de passer à l'exécution, mes jambes se dérobèrent sous moi. Je me relevai et, faisant appel à tout mon courage, je déplaçai les planches que j'avais disposées devant la cabane pour me dissimuler. L'air frais me ravigota. Avec détermination, je m'approchai de la porte du chalet, et frappai.

« — Qui est là ? demanda le vieillard. Entrez.

« Ce que je fis.

« — Excusez mon intrusion, dis-je, je suis un voyageur et je cherche du repos. Me permettez-vous de m'asseoir quelques minutes près du feu ?

« — Venez donc, dit de Lacey. Je vous aiderais volontiers, mais malheureusement mes enfants ne sont pas là et je suis aveugle. Je crains d'avoir du mal à vous procurer de la nourriture.

« — Ne vous dérangez pas, j'en ai. J'ai seulement besoin de chaleur et de repos.

« Je m'assis et il y eut un silence. Je savais que chaque minute était précieuse pour moi, mais je ne savais comment commencer l'entretien. Ce fut lui qui reprit la parole.

« — Votre accent me laisse supposer que vous êtes mon compatriote. Êtes-vous français ?

« — Non. Mais j'ai été éduqué par une famille française et votre langue est la seule que je connaisse. Je compte à présent solliciter la protection d'amis que j'aime et qui, je l'espère, seront affectueux avec moi.

« — Ce sont des Allemands ?

« — Non, ils sont français. Mais parlons d'autre chose. Je suis une malheureuse créature abandonnée, qui n'a ni parent ni ami sur la terre. Ces gens aimables dont je viens de vous parler ne m'ont jamais vu et ignorent tout de moi.

Je suis tiraillé par la peur, car si j'échoue, je serai pour toujours à l'écart du monde.

« — Ne désespérez pas. Être sans ami est effectivement un grand malheur, l'homme, quand il n'est pas aveuglé par l'égoïsme, est capable d'amour et de charité. Si vos amis sont bons, vous ne devez pas désespérer.

« — Ils le sont ! Malheureusement, ils ont un préjugé à mon égard ; ma vie jusqu'ici a été aussi innocente que naïve. Pourtant, une prévention fatale embrume leurs yeux, et au lieu de me considérer comme un ami sensible, ils peuvent voir en moi un monstre détestable.

« — C'est regrettable en effet ! Mais si vous n'avez rien à vous reprocher, pourquoi voudriez-vous qu'ils se trompent ?

« — C'est mon angoisse. J'aime tendrement ces amis. Depuis de nombreux mois, à leur insu, je leur ai rendu quotidiennement des services, mais ils croient que je leur veux du mal. C'est ce préjugé que je voudrais vaincre.

« — Et où résident vos amis ?

« — Non loin d'ici.

« Le vieil homme s'interrompit avant de poursuivre.

« — Si vous voulez, sans rien me cacher, me confier les détails de votre histoire, je pourrais peut-être vous défendre auprès d'eux. Je suis aveugle et je ne peux vous voir, mais il y a quelque chose dans vos propos qui me persuade de votre sincérité. Je suis un pauvre et en exil, mais ce sera pour moi un vrai plaisir d'aider un de mes semblables.

« — Quel homme généreux vous êtes ! Je vous remercie et j'accepte votre offre. Vous me redonnez du courage. Je suis sûr qu'avec votre aide je ne serai pas banni de la société et privé de la sympathie des hommes.

« — Le ciel l'interdit ! Même si vous étiez un authentique criminel, agir ainsi serait vous pousser au désespoir et non vous inciter à la vertu. Moi aussi, je suis malheureux.

Ma famille et moi, nous avons été condamnés, bien qu'innocents. Jugez donc si je compatis à votre détresse !

« — Comment puis-je vous remercier ? Vous êtes le premier à me parler avec bonté. Je vous serai toujours reconnaissant. Votre humanité est un présage de réussite pour ma rencontre avec mes amis.

« — Puis-je connaître leur nom et leur adresse ?

« Je me tus. Le moment était venu de me décider. J'essayai vainement de trouver la fermeté nécessaire pour lui répondre mais n'en eus plus la force. Je tombai sur une chaise et me mis à sangloter. À cet instant, j'entendis les pas de mes jeunes protecteurs. Je n'avais plus une seule seconde à perdre. Je saisis la main du vieillard et m'écriai :

« — Sauvez-moi, protégez-moi ! C'est vous et les vôtres, ces amis que je cherche. Ne m'abandonnez pas alors que l'heure de vérité vient de sonner !

« — Grand Dieu, qui êtes-vous ? ! s'exclama le vieil homme.

« À cet instant, la porte s'ouvrit, et Félix, Safie et Agathe entrèrent. Comment décrire leur surprise et leur épouvante lorsqu'ils m'aperçurent ? Agathe s'évanouit. Safie, incapable de secourir son amie, se précipita hors du chalet. Félix, lui, se précipita sur moi et, avec une force surhumaine, m'arracha des genoux de son père que j'avais enlacés. Furieux, il me jeta sur le sol et me frappa violemment avec un bâton. J'aurais pu lui briser les membres un à un. Mais je me retins, paralysé par l'amertume. Quand je vis qu'il allait encore me frapper, ivre de douleur et d'angoisse, je sortis du chalet et, dans le désordre général, courus me cacher dans ma cabane. »

Chapitre 16

« Maudit créateur ! Pourquoi m'avoir fait vivre ? Pourquoi ne pas avoir, à cet instant, éteint l'étincelle de vie que tu avais si étourdiment allumée en moi ? Je ne sais pas. Mon désespoir n'était pas encore assez profond, j'étais surtout brûlant de rage et de vengeance. J'aurais avec jubilation détruit le chalet et ses occupants et écouté leurs cris d'épouvante.

« À la nuit tombée, je quittai mon abri et allai errer dans le bois ; ne craignant plus d'être découvert, je me laissai aller à mon angoisse en poussant des hurlements horribles. Comme une bête sauvage qui vient de briser ses chaînes, je saccageais tout ce qui se dressait devant moi, fonçant parmi la forêt à la vitesse d'un cerf. Quelle affreuse nuit ! Les étoiles brillaient, les arbres dépouillés étendaient leurs branches au-dessus de moi, parfois le cri d'un oiseau venait déchirer le silence. Tout, sauf moi, se reposait ; et moi, le démon, j'avais l'enfer en moi, et n'avais personne à qui confier mes peines, je voulais arracher les arbres, semer autour de moi la ruine avant de m'asseoir pour admirer mon œuvre malfaisante.

« La violence de ces excès physiques m'ayant fatigué, je m'abattis sur l'herbe humide, impuissant et désespéré.

Parmi les myriades d'hommes, y en avait-il un seul qui pourrait m'accorder sa pitié ou son secours ? Devais-je éprouver de la bonté envers mes ennemis ? Non ! Dès lors, je déclarai la guerre aux hommes et, par-dessus tout, à celui qui m'avait créé pour tant de souffrance.

« Le soleil se leva. J'entendis des voix d'hommes et constatai qu'il m'était impossible de regagner mon abri pendant la journée. Je me cachai dans des taillis.

« L'éclat du soleil et l'air pur me rassérénèrent. Quand je songeai à l'épisode du chalet, je me reprochai d'avoir fait preuve de trop de précipitation. J'avais été imprudent. Si mes arguments m'avaient acquis la confiance du père, j'avais commis l'erreur de montrer mon horrible corps à ses enfants. J'aurais dû me rendre familier au vieux de Lacey pour ensuite seulement me montrer au reste de la famille, quand ils y auraient été préparés. Peut-être pouvais-je tenter de réparer mes erreurs. Je décidai de retourner au chalet, de revoir le vieil homme et de tenter de le gagner à ma cause.

« Dans l'après-midi, je tombai dans un profond sommeil ; mais dans mes cauchemars, je revécus la pénible scène de la veille, avec les femmes s'enfuyant et Félix, hors de lui, qui m'arrachait des genoux de son père. Je m'éveillai épuisé. Il faisait déjà nuit. Je sortis de ma cachette et partis à la recherche de nourriture.

« Quand ma faim fut apaisée, je prenais le sentier familier qui menait au chalet. Tout y était calme. Je me glissai dans ma cabane et attendis l'heure à laquelle la famille se levait. Le soleil était déjà haut dans le ciel, mais personne n'apparut. Je tremblai, craignant un malheur. L'intérieur du chalet était sombre et rien n'y bougeait.

« Bientôt deux paysans arrivèrent. Ils s'arrêtèrent près du chalet et se mirent à parler avec de grands gestes. Je ne comprenais pas ce qu'ils disaient, car ils parlaient la langue du pays, différente de celle de mes protecteurs. Peu après, Félix surgit avec un autre homme ; il n'avait pu quitter la maison ce matin. J'écoutais anxieusement ce qu'il allait dire.

« — Vous allez devoir, lui lança son compagnon, être obligés de payer trois mois de loyer, et perdre la récolte de votre jardin ! Je vous demande seulement de réfléchir quelques jours encore avant de vous décider.

« — C'est tout à fait inutile, répondit Félix. Nous ne pouvons plus habiter dans cette maison. La vie de mon père est menacée, je vous ai raconté l'horrible événement qui y a eu lieu. Mon épouse et ma sœur ne pourront jamais oublier leur épouvante. Reprenez possession de votre chalet et laissez-nous changer d'endroit.

« Félix tremblait tout en parlant. Avec l'autre homme, il entra dans le chalet. Ils y restèrent quelques minutes puis repartirent. Je ne devais plus jamais revoir aucun des de Lacey.

« Toute la journée, je ne bougeai pas de mon abri, abattu. Mes protecteurs étant partis, le seul lien qui me reliait au monde était brisé. Un sentiment de vengeance et de haine me submergea sans que je puisse le maîtriser. Ce courant m'emportait vers la destruction et la mort. Quand je pensais à mes amis, j'étais pris d'un accès de larmes. Mais je me rappelais qu'ils m'avaient chassé et abandonné, et ma colère revenait. Au milieu de la nuit, j'entassai une grande quantité de bois autour du chalet. Puis, après avoir saccagé le jardin, et qu'un vent violent venu de la forêt se fut levé, qui provoqua en moi une espèce de folie, je mis le feu à une branche sèche et me mis à danser furieusement autour du chalet, les yeux fixés vers l'ouest, où la lune touchait presque l'horizon. Lorsqu'elle disparut, j'enflammai la paille et les branchages que j'avais réunis. Le vent aviva les flammes, qui rapidement encerclèrent le chalet, le léchèrent de leurs langues meurtrières et fourchues.

« Une fois certain que le chalet serait réduit en cendres, j'allai me réfugier dans les bois.

« Désormais, avec le monde entier contre moi, où pouvais-je aller ? Je voulais fuir le théâtre de mes malheurs. Alors je pensai à ton existence. Je savais par tes papiers que tu avais été mon créateur. À qui m'adresser, sinon à celui qui m'avait donné la vie ? Félix avait donné à Safie des leçons de géographie. J'avais appris ainsi l'emplacement des pays. Tu avais indiqué Genève comme nom de ta ville natale et je décidai de m'y rendre.

« Mais comment m'orienter ? Je savais que je devais aller vers le sud-ouest et n'avais pour seul guide que le soleil. J'ignorais les noms des villes par lesquelles je devais passer et il n'était pas possible que je me renseigne auprès d'un être humain. Toutefois, je n'étais pas désespéré. Tu étais mon dernier recours, même si jusque-là je n'avais éprouvé pour toi que de la haine. Créateur insensible et sans cœur ! Tu m'avais doté de sens et de sentiment, puis m'avais rejeté comme un objet horrible et méprisable. Mais il n'y avait plus que toi pour m'accorder aide et pitié, il n'y avait plus que toi pour m'accorder cette justice que je cherchais en vain auprès de tous les autres êtres humains.

« Mon voyage fut long, plein d'intenses souffrances. Je quittai la région où j'avais vécu si longtemps à la fin de l'automne. Je ne voyageais que la nuit, craignant de croiser un homme. Autour de moi, la nature dépérissait et le soleil perdait de sa chaleur. J'affrontai la nuit et la neige, la surface de la terre dure et froide, sans le moindre abri. Combien de fois t'ai-je maudit ! Ma bonté naturelle avait disparu, je n'étais plus que haine et amertume. Plus j'approchais de ta maison, plus je me sentais porté par la vengeance. Il neigeait, les rivières étaient gelées, mais je ne m'arrêtais pas. J'avais peu d'indications pour me diriger mais je possédais une carte du pays, même si souvent je m'écartais de ma route. Lorsque j'arrivai à la frontière suisse, le soleil avait recouvré sa chaleur et la terre recommençait à verdir. Mais cela n'en apaisa pas mon amertume pour autant.

« D'ordinaire, je me reposais pendant la journée pour marcher pendant la nuit, lorsque j'étais sûr de ne pas être vu. Un matin cependant, remarquant que ma route traversait une épaisse forêt, je poursuivis mon chemin après le lever du soleil. C'était un des premiers jours du printemps. Je me sentais bien, la tendresse et le plaisir, que je croyais avoir oubliés, revivaient en moi. Étonné par ces sensations nouvelles, je m'y abandonnai, oubliant ma solitude et ma laideur.

« Je continuai à marcher à travers les sentiers de la forêt jusqu'à sa lisière où coulait une rivière profonde et rapide. De nombreux arbres en fleurs y plongeaient leurs branches. Je m'étais arrêté là, cherchant quel chemin prendre, lorsque j'entendis des bruits de voix ; je me dissimulai à l'ombre d'un cyprès. J'y étais à peine caché qu'une fillette surgit en courant et en riant comme si elle avait quelqu'un sur les talons, poursuivant sa course le long des berges abruptes de la rivière. Soudain, son pied glissa et elle chuta au milieu du courant. Je me précipitai hors de ma cachette et, au prix d'un effort extrême, je parvins à la saisir et à la sortir de l'eau. Elle était sans connaissance et j'entrepris de la ranimer, quand je fus tout à coup interrompu par l'arrivée d'un paysan, sans doute la personne que fuyait la fillette. En m'apercevant, il se rua sur moi, m'arracha la fillette des mains et se précipita vers la partie la plus sombre de la forêt. Je le suivis sans savoir pourquoi. Dès que l'homme vit que je m'approchais, il s'empara de son fusil, le pointa vers mon corps et tira. Je tombai sur le sol. Puis, en courant, il s'enfuit au milieu de la forêt.

« Voilà comment on me récompensait de ma bienveillance ! J'avais sauvé un être humain de la mort, et en remerciement je recevais une balle qui m'avait broyé la chair et les os. Une rage démoniaque succéda au sentiment de tendresse auquel je m'étais abandonné un peu plus tôt et je me mis à grincer des dents de souffrance et de haine pour l'humanité tout entière. Mais mon pouls faiblissait et je m'évanouis.

« De nombreuses semaines, je menai une existence misérable dans les bois, essayant de guérir ma blessure. La balle s'était logée dans mon épaule et je ne savais pas si elle s'y trouvait toujours ou si elle en était sortie, et dans le premier cas, je n'avais aucun moyen de l'extraire. Mes souffrances, en outre, étaient avivées par l'injustice et l'ingratitude dont j'avais été victime. Chaque jour, je criais vengeance, une vengeance profonde et mortelle, la seule qui puisse compenser les insultes et le mal que j'endurais.

« Au bout de quelques semaines, ma plaie se cicatrisa et je poursuivis mon voyage. Ce n'était plus l'éclat du soleil ni les brises printanières qui pouvaient alléger mes tourments. Pourtant, mes fatigues touchaient à leur fin et, deux mois plus tard, j'arrivai dans les environs de Genève.

« Comme le soir tombait, je me réfugiai au milieu des champs afin de réfléchir à la manière dont j'allais t'aborder. J'étais épuisé, j'avais faim, j'étais trop malheureux pour admirer le soleil qui se couchait derrière les montagnes du Jura.

« Je somnolais, quand je fus réveillé par l'arrivée d'un bel enfant qui venait en courant vers mon abri. J'eus soudain, en le voyant, l'idée qu'un petit être ne pouvait pas avoir les préjugés des adultes, n'ayant pas assez vécu pour connaître l'horreur et la laideur. Aussi, si je parvenais à me saisir de lui, si je réussissais à m'en faire un ami, je ne serais plus seul dans ce monde. Je saisis donc le garçon au passage et l'attirai vers moi. Dès qu'il vit mon visage, il plaça ses mains devant les yeux et poussa un cri formidable. Je lui tirai énergiquement les mains et lui dis :

« — Écoute-moi, je n'ai pas l'intention de te nuire.

« Il se débattit violemment.

« — Lâche-moi, hurla-t-il. Monstre ! Abominable créature ! Tu veux me manger et me dépecer. Tu es un ogre. Laisse-moi partir ou je le dirai à mon papa.

« — Tu ne reverras plus jamais ton père, mon garçon. Tu dois venir avec moi !

« — Horrible monstre ! Laisse-moi partir. Mon papa est un syndic. C'est M. Frankenstein... Il te punira. Tu n'oseras pas me garder !

« — Frankenstein ! Tu es donc de la famille de mon ennemi ? Tu seras ma première victime !

« L'enfant se débattait toujours et m'accablait d'injures qui me désespéraient. Je le pris à la gorge pour le faire taire, mais en un instant il tomba mort à mes pieds.

« Je contemplai ma victime et mon cœur se gonfla d'exultation et d'un triomphe infernal. Battant des mains, je m'écriai :

« — Moi aussi, je peux créer le désespoir ; mon ennemi n'est pas invulnérable ; cette mort le remplira de désespoir et mille autres malheurs le tourmenteront jusqu'à sa mort !

« Comme je regardais l'enfant, je vis quelque chose briller sur son cou. Je m'en emparai. C'était le portrait d'une très belle femme. En dépit de ma rage, il me fascina, avec ses yeux sombres, ses longs cils et ses lèvres exquises. Mais vite ma rage reprit le dessus. J'étais à jamais privé des joies qu'une créature aussi belle aurait pu m'offrir ; elle aussi, si elle m'avait vu, n'aurait plus eu, sur son beau visage, cet aspect délicieux, mais une expression de dégoût et d'horreur.

« Je me demande pourquoi, à cet instant, au lieu de donner libre cours à ma douleur par des gémissements, je ne me suis pas précipité parmi les hommes afin, au risque de perdre la vie, de les tuer.

« Je quittai l'endroit du meurtre afin de dénicher un abri plus sûr. J'entrai dans une grange que je croyais vide. Sur la paille, une femme dormait. Elle était jeune, pas aussi belle que celle du portrait, mais pleine de charme et de santé. Je me dis que ses radieux sourires ne me seraient jamais destinés. Je me penchai sur elle et lui murmurai :

« — Réveille-toi, ma belle, celui qui t'aime est là, prêt à mourir pour un seul regard affectueux. Réveille-toi, ma bien-aimée !

« La femme, dans son sommeil, remua, et un frisson de terreur me parcourut. Et si effectivement elle se réveillait, si elle me voyait, si elle me maudissait, si elle dénonçait mon meurtre ? Cette idée attisa ma folie, réanima ma rage. Non, ce ne serait pas moi qui souffrirais, mais elle ! Le crime que j'avais commis parce que toujours je serais privé de tout ce qu'elle aurait dû me donner, ce serait le sien. C'était elle qu'on punirait. Grâce aux leçons de Félix sur les lois sanguinaires des hommes, j'avais appris comment faire le mal. Je me penchai de nouveau et glissai soigneusement le portrait dans un des plis de sa robe. Elle bougea encore et je pris la fuite.

« Durant quelques jours, je hantai l'endroit où s'étaient produits ces événements, tantôt dans l'espoir de te voir, tantôt de quitter à jamais le monde et ses misères. Finalement, j'allai errer dans les montagnes, animé par une passion brûlante que toi seul peux satisfaire. Nous ne nous séparerons pas avant que tu ne me promettes de satisfaire ma demande. Je suis seul et malheureux. L'humain ne veut pas de moi. Seule une femme, aussi laide et aussi horrible que moi, accepterait ma compagnie, de la même espèce que moi, avec les mêmes défauts. Cet être-là, c'est à toi de le créer ! »

Chapitre 17

La créature se tut et me fixa, dans l'attente d'une réponse. Mais j'étais si abasourdi et si perplexe que je ne parvenais pas à remettre de l'ordre dans mes idées pour réaliser l'énormité de ce qu'il me demandait. Il parla à nouveau :

— Tu dois créer une femme qui sera ma compagne. Toi seul peux le faire. J'ai le droit de l'exiger, tu ne peux pas me le refuser.

La dernière partie de son récit avait ranimé ma colère qui s'était éteinte, tandis qu'il me racontait sa vie paisible au chalet, et ce qu'il venait de dire décupla ma rage.

— Je refuse, répondis-je, et même sous la torture, tu ne pourras m'arracher mon accord. Tu peux faire de moi le plus malheureux des hommes, mais je ne m'avilirai pas au point d'avoir honte de moi-même ! Créer une autre créature à ton image pour unir vos haines contre le monde ? Va-t'en ! C'est ma réponse. Tu peux me torturer, mais je n'accepterai jamais !

— Tu as tort, reprit le monstre. Je ne te menace pas, je veux seulement discuter avec toi. Si je suis mauvais, c'est parce que je suis malheureux. Parce que le genre humain me repousse ! Toi, mon créateur, tu veux m'anéantir et triompher ensuite. Réfléchis et demande-toi pourquoi je devrais avoir de la pitié envers ceux qui n'en ont pas pour moi ? Si tu pouvais me précipiter dans une crevasse et me détruire, moi, ton œuvre, de tes propres mains, n'appellerais-tu pas cela un meurtre ? Dois-je respecter celui qui me méprise ? Que quelqu'un ait de l'affection pour moi, et, au lieu de lui faire du mal, je me mettrai à son service avec des larmes de gratitude. Mais c'est impossible. Jamais cependant je ne me soumettrai à un esclavage aussi abject. Je me vengerai des injustices dont j'ai été victime. Puisque je ne peux pas inspirer l'amour, je répandrai la peur, et principalement sur toi, qui es mon plus grand ennemi, pour m'avoir créé. Je te détruirai, je te briserai tant le cœur que tu maudiras le jour de ta naissance !

Il vibrait, tout en parlant, d'une rage démoniaque. Son visage subissait des contractions si affreuses qu'elles étaient insupportables à l'œil humain. Puis il se calma et poursuivit :

— Je voulais te convaincre par le raisonnement, mais ma colère me fait du tort ; et pourtant, c'est de ta faute. Si quelqu'un se montrait bienveillant avec moi, je le lui rendrais au centuple ; pour la satisfaction d'une seule créature je ferais la paix avec l'humanité tout entière. Mais je ne veux pas non plus rêver d'un bonheur irréalisable. Ce que je te demande est raisonnable : une créature du sexe opposé aussi laide que moi. Ce n'est pas là un bien grand don, mais puisque je ne peux en accepter d'autre, je m'en contenterai. Comme nous serons des monstres à l'écart du monde, nous n'en serons que plus attachés l'un à l'autre. Nos vies ne seront pas heureuses mais elles seront innocentes, et je serai libéré de ma détresse. Oh, mon créateur, rends-moi heureux ! Fais en sorte que je te sois reconnaissant ! Ne rejette pas ma prière !

Ému par ses arguments, je tremblais en pensant aux éventualités d'une telle solution. Son récit et les sentiments qu'il exprimait prouvaient qu'il avait du bon sens. Puisque cela était en mon pouvoir, pourquoi ne pas lui offrir un peu de bonheur ? Il remarqua que mes sentiments s'étaient modifiés et dit :

— Si tu acceptes, plus jamais aucun être humain ne me reverra. Je partirai pour les vastes déserts de l'Amérique du Sud. Ma nourriture n'est pas celle des hommes, je ne tue ni agneau ni chevreuil pour apaiser ma faim. Les racines et les baies me suffisent. Ma compagne sera comme moi et se contentera de même. Nous dormirons parmi les feuilles. Le soleil brillera pour nous comme pour les hommes et fera mûrir notre nourriture. Ce serait être cruel que de me refuser cela. Tu as été impitoyable envers moi, mais maintenant je vois de la compassion dans tes yeux. Ne refuse pas ce que je désire avec tant d'ardeur.

— Tu me proposes, dis-je, de fuir les hommes et de gagner des contrées sauvages où les animaux seront tes seuls compagnons. Toi qui cherches l'amour des êtres humains, comment pourrais-tu tenir dans cet exil ? Tu reviendras, tu redemanderas leur affection et tu rencontreras de nouveau leur haine. Tes passions diaboliques renaîtront et tu auras alors une compagne pour t'aider dans ton œuvre de destruction. Cesse de discuter là-dessus, car je n'ai pas changé d'avis ; je ne suis pas d'accord.

— Comme tu es inconstant ! Il y a quelques instants encore, tu étais touché par mes paroles. Pourquoi es-tu de nouveau hostile ? Je jure sur la terre où je suis, sur toi qui m'as fait que si tu me donnes une compagne, je quitterai les hommes et irai me réfugier dans les lieux les plus sauvages ! Mes passions diaboliques n'existeront plus, puisque je connaîtrai l'affection. Ma vie sera paisible et, à l'heure de ma mort, je ne te maudirai pas.

J'avais pitié de lui mais, au spectacle dégoûtant de sa masse informe, je ne pouvais, proche de la nausée, le consoler.

— Tu jures, dis-je, que tu seras bon. Mais tu t'es déjà révélé trop rusé pour que je ne me méfie pas de toi.

— Comment cela ? Je ne veux pas qu'on se moque de moi et j'exige une réponse. Seule l'affection peut me faire oublier ma haine. Mes vices sont la conséquence de cette solitude forcée qui me torture !

Je pris le temps de réfléchir à ses arguments. Il avait montré, au début de son existence, c'est vrai, quelques qualités. Il me fallait aussi tenir compte de sa force et de ses menaces. Une créature qui était capable de vivre sur un glacier et de s'échapper en courant le long des précipices, ce qui la rendait inaccessible à ses poursuivants, possédait un pouvoir contre lequel il était vain de lutter. Après une longue réflexion, je décidai qu'il était juste d'accéder à sa requête. Je me tournai vers lui :

— J'accepte ce que tu me demandes, à condition que tu me jures de quitter l'Europe pour toujours et d'éviter tout lieu où il y aurait des hommes, une fois que je t'aurai donné la compagne qui partagera ton exil.

— Je jure, cria-t-il, par le soleil, par le ciel, par le feu de l'amour qui me dévore, que si tu exauces ma prière, jamais plus tu ne me reverras. Rentre chez toi commencer ton œuvre. J'en attendrai le résultat avec angoisse, et quand tout sera prêt, je t'apparaîtrai !

Sur ces mots, il me quitta précipitamment, craignant peut-être que je ne change d'avis. Je le vis dévaler la pente à toute vitesse, et vite disparaître dans les ondulations de la mer de glace.

Son récit avait duré une journée entière et le soleil était au bord de l'horizon quand il partit. Il me fallait me dépêcher de rejoindre la vallée avant la nuit. Mais j'étais si accablé que je marchais lentement, mes pas manquant de fermeté. La nuit était déjà fort avancée lorsque je parvins à un refuge situé à mi-chemin ; je m'assis près d'une fontaine. Je pleurai amèrement.

Il faisait jour quand j'arrivai à Chamonix. Sans me reposer, je me rendis immédiatement à Genève. En rentrant chez moi, tous s'émurent de mon air hagard. Mais je ne répondis à aucune question et parlai à peine. Je m'étais mis au ban de la société, je n'avais plus droit à leur affection. Et pourtant, même en ces instants, je les adorais. Pour les sauver, il fallait que je me consacre à cette œuvre horrible.

Chapitre 18

Plusieurs semaines s'étaient écoulées depuis mon retour à Genève sans que je trouve le courage de m'attaquer à mon œuvre. Je craignais la vengeance du monstre déçu sans pour autant surmonter ma répugnance devant cette besogne. D'autant qu'il m'apparut qu'avant d'animer une créature femelle, je devrais me livrer pendant de nombreux mois à des recherches et à des expériences. J'avais entendu dire qu'un savant anglais avait réalisé certaines expérimentations qui pourraient m'aider dans les miennes, et j'étais souvent tenté de demander à mon père la permission de me rendre en Angleterre. Mais, parallèlement, tout m'était prétexte pour ajourner ce voyage, et je ne me décidai pas à faire le premier pas dans une entreprise qui m'apparaissait de moins en moins urgente. Ma santé se rétablissait, lorsque j'oubliais la promesse que j'avais faite. Mon père me voyait avec plaisir surmonter ma mélancolie et m'encourageait. Lorsque je sombrais dans la morosité, je me réfugiais dans la solitude, passant des journées entières sur le lac, seul dans une barque, observant le ciel, écoutant le clapotis de l'eau. L'air frais et la lumière du soleil m'aidaient à reprendre mon équilibre et, quand je revenais chez nous, je souriais à nouveau aux miens, le cœur plus léger.

C'est au retour d'une de ces promenades que mon père me prit à part :

— Je suis heureux de constater, mon fils, que tu sembles redevenir toi-même. Mais il t'arrive encore d'être morose et de fuir la société. Longtemps je me suis demandé pourquoi : et hier une hypothèse m'est apparue ; si elle est fondée, je te demande de me le dire. Rester vague sur ce sujet serait de ta part plus que regrettable, car c'est une triple souffrance qui en découlerait.

Je tremblais violemment à cette mise en garde de mon père.

— J'ai toujours, poursuivit-il, considéré ton mariage avec Élisabeth comme le ciment de notre bonheur familial et le réconfort de mes années de vieillesse. Vous êtes attachés l'un à l'autre depuis votre plus tendre enfance. Vous avez étudié ensemble et vous semblez être faits l'un pour l'autre. Mais le cœur de l'homme est obscur, et peut-être me suis-je fourvoyé en encourageant votre complicité. Peut-être ne la considères-tu que comme une sœur, et ne souhaites pas l'épouser. Tu en aimes une autre, mais, te considérant comme promis à Élisabeth, tu luttes contre cet amour, ce qui pourrait expliquer tes tourments…

— Mon père, soyez sans crainte, j'aime tendrement et sincèrement ma cousine. Aucune autre femme n'a jamais suscité en moi plus d'admiration et d'affection. Je continue à fonder mon avenir sur notre mariage.

— Tes paroles me réjouissent tant, mon cher Victor, qu'il y a longtemps que je n'avais pas été aussi heureux. Et je voudrais continuer à l'être, malgré les récents événements qui nous ont tant bouleversés. J'aimerais dissiper la tristesse qui semble te ronger. Pourquoi ne pas célébrer ce mariage dans les plus brefs délais ? Toutefois, ne va pas croire que je veux t'imposer ton bonheur, ni qu'un retard de ta part m'inquiéterait. Réponds-moi, je t'en prie, en toute confiance et en toute sincérité.

J'avais écouté mon père en silence et restai pendant un bon moment incapable de lui répondre. L'idée d'un mariage rapide avec Élisabeth m'effrayait. J'avais fait solennellement une promesse que je n'avais pas encore tenue et que je ne pouvais pas rompre sans attirer sur ma famille et sur moi-même les pires malheurs. Je devais tenir mon engagement, et une fois le monstre parti avec sa compagne, me marier, enfin apaisé.

Je me souvenais aussi qu'il était indispensable que j'aille en Angleterre pour connaître les découvertes de ce savant dont j'avais entendu parler. D'autant qu'il me répugnait fortement de me lancer dans mes affreux travaux dans la maison familiale, trop près des miens. De multiples accidents pouvaient se produire, dont le moindre d'entre eux révélerait l'horreur de mon entreprise. Il fallait que je me sépare des miens pour mener ma tâche à son terme. Ma promesse exécutée, le monstre partirait à jamais. À moins qu'il ne se détruise avant par accident, me libérant ainsi de mon esclavage.

C'est pourquoi j'exposai à mon père mon désir d'aller en Angleterre, sans lui en révéler les véritables raisons. Il accepta ma demande, persuadé que ce voyage, en me distrayant, me ferait du bien, et m'aiderait à retrouver complètement mon équilibre.

Il me laissa libre – quelques mois ou une année – de choisir la durée de mon absence et eut la délicate attention de m'adjoindre un compagnon de voyage. Sans m'en avertir, avec la complicité d'Élisabeth, il s'arrangea pour que Clerval me rejoigne à Strasbourg. J'avais besoin d'être seul pour accomplir ma tâche. Mais, pour le début du voyage, j'étais heureux d'avoir mon ami à mes côtés, et Henri, au cas où le monstre surgirait pour contrôler l'avancement des travaux, pourrait m'aider à le repousser.

On décida que mon mariage avec Élisabeth aurait lieu dès mon retour. En raison de son âge avancé, mon père répugnait à le retarder. Quant à moi, j'y voyais la récompense à mes travaux aussi forcés qu'ignobles, et le bonheur retrouvé après d'horribles tourments. Il allait me falloir vivre dans l'attente de ma délivrance jusqu'à ce que, uni à Élisabeth, j'oublie avec elle mon passé.

Tandis que je faisais mes préparatifs, une pensée me hantait et m'effrayait. Pendant mon absence, les miens allaient être dans l'ignorance de leur ennemi, et à sa merci en cas d'attaque de sa part, au cas où mon départ le rende furieux. Il avait promis de me suivre ; irait-il jusqu'en Angleterre ? Paradoxalement, cette hypothèse me rassurait ; s'il le faisait, il ne pourrait pas s'attaquer à ma famille, mais seulement à moi. Et mon sentiment était qu'il me suivrait.

Je partis à la fin du mois de septembre. Comme c'était moi qui avais suggéré ce voyage, Élisabeth y consentit, mais non sans inquiétude, car elle redoutait que loin d'elle, je ne retombe dans la tristesse et le chagrin. C'était elle qui m'avait choisi Clerval pour compagnon, mais un homme n'a pas, dans les multiples circonstances de la vie, les attentions d'une femme. Élisabeth voulait que je revienne vite. Au moment des adieux, elle ne résista pas à son émotion et elle se mit à pleurer en silence.

Je me jetai dans ma voiture, indifférent à ce qui se passait autour de moi. J'avais veillé à ce que mes instruments chimiques soient placés dans mes bagages. Enfiévré, je ne vis pas les magnifiques paysages traversés, seulement obsédé par l'œuvre qui m'attendait.

À Strasbourg, j'attendis Clerval deux jours. Il se comportait comme s'il était mon contraire, s'enflammant devant chaque paysage, s'extasiant lors des crépuscules, s'enthousiasmant des aurores.

— Ça c'est la vie, s'écriait-il, l'existence qu'il faut savourer. Mais toi, mon cher Frankenstein, pourquoi es-tu si triste ?

Obsédé par des sombres pensées, hanté par la malédiction qui m'ôtait toute joie, je ne m'intéressais ni au soleil couchant ni à la lumière dorée reflétée par les eaux du Rhin. Nous avions décidé de descendre le Rhin en bateau de Strasbourg à Rotterdam d'où nous embarquerions pour Londres. Lors de ce voyage, nous vîmes de nombreuses ruines de châteaux au bord de précipices, entourés de forêts noires, hautes et inaccessibles, de riches vignobles qui s'étalaient sur les coteaux verdoyants. Nous étions à l'époque des vendanges et, du bateau, entendions le chant des paysans. En dépit de mon abattement, je savourais une tranquillité qui me fuyait depuis longtemps. Henri, lui, était transporté d'allégresse.

— J'ai déjà vu, me disait-il, les plus beaux paysages de notre pays, mais cette région, Victor, me fascine encore plus !

Cher Clerval ! Son imagination, son enthousiasme n'avaient d'égal que sa bonté ! Où se trouve-t-il à présent ? Cet être exquis est-il perdu à jamais ? Cet esprit si plein de fantaisie a-t-il réellement péri ? N'existe-t-il plus que dans mon souvenir ? Non, ce n'est pas possible. Ton corps à la beauté rayonnante s'est corrompu, mais ton esprit vient encore consoler ton misérable ami.

Après Cologne, nous avons traversé les plaines hollandaises en chaise de poste, car le vent nous était contraire et le courant du fleuve trop lent. Nous nous embarquâmes à Rotterdam. Par une claire matinée, à la fin du mois de décembre, les blanches falaises de la Grande-Bretagne nous apparurent. En remontant la Tamise, nous passâmes devant des villes chargées d'histoire dont j'avais entendu parler chez moi.

Puis nous vîmes les nombreux clochers de Londres, dominés par le dôme de Saint-Paul et la célèbre Tour.

Chapitre 19

Londres, ville célèbre et merveilleuse, fut notre lieu de séjour. Clerval voulait rencontrer les génies et les talents célèbres, ce qui m'apparaissait secondaire ; moi, je voulais obtenir les informations nécessaires pour commencer mes recherches, et rapidement je me servis des lettres d'introduction, adressées aux physiciens les plus éminents, que j'avais apportées.

Ce voyage effectué quelques années auparavant aurait été enchanteur. Mais depuis un sort néfaste avait perturbé ma vie et je rendais visite à ces personnages dans le seul but d'obtenir des informations qu'eux seuls étaient capables de me fournir sur le sujet qui me préoccupait si intensément. La société m'était insupportable ; quand j'étais seul, je laissais aller mon esprit en contemplant la terre et les cieux ; la voix d'Henri m'apaisait aussi, et je faisais semblant d'être serein. Mais il y avait une barrière infranchissable entre les hommes et moi-même, et elle était tachée du sang de William et de Justine.

Clerval, lui, me renvoyait l'image de celui que j'avais été autrefois. Sa curiosité, sa soif d'expérience et de savoir étaient comblées par les manières de vivre différentes qu'il découvrait. Son but, qu'il poursuivait depuis longtemps, était de se rendre aux Indes où, selon lui, la connaissance qu'il avait des divers dialectes et de la civilisation de ce pays serait à même de contribuer grandement au progrès de la colonisation et du commerce européens. Et c'était en Grande-Bretagne qu'il pouvait mettre son projet sur pied. Il était toujours en action et son bonheur aurait été complet sans ma morosité continuelle. Je m'efforçais pourtant de lui cacher mes angoisses afin de ne pas lui gâcher son insouciance. Je refusais souvent de l'accompagner sous prétexte de rendez-vous ; je voulais rester seul. J'avais entrepris de réunir les matériaux utiles à ma nouvelle création, et c'était une torture identique à celle de recevoir, indéfiniment, régulièrement, une goutte d'eau sur la tête. Chaque pensée à ce sujet me plongeait dans l'angoisse, chaque parole faisait trembler mes lèvres et battre mon cœur.

Au bout de quelques mois à Londres, nous reçûmes une lettre d'un Écossais qui nous avait rendu visite à Genève. Il nous parlait des beautés de son pays natal et nous suggérait de nous rendre jusqu'à Perth, où il habitait. Clerval était d'avis d'accepter l'invitation, et moi, faisant fi de ma misanthropie, je me réjouissais de revoir des montagnes et des torrents.

Nous décidâmes d'entreprendre ce voyage vers le nord non pas en empruntant la grand-route d'Édimbourg mais en passant, afin de les visiter, par Windsor, Oxford, Matlock, et les lacs du Cumberland, de telle sorte que notre périple se termine vers la fin du mois de juin. Dans mes bagages, j'emportai mes instruments et les matériaux que j'avais réunis, décidé à achever mes travaux quelque part dans les montagnes du nord de l'Écosse.

Nous demeurâmes quelques jours à Windsor pour y découvrir ses magnifiques forêts. À Oxford, les collèges sont anciens et pittoresques, les rues pour la plupart attrayantes, et la rivière qui contourne la ville à travers les prairies verdoyantes s'étale en une nappe tranquille où se reflète l'ensemble majestueux de tours, clochers et dômes parmi des arbres.

Ce spectacle me plaisait, bien que ma joie fût rendue amère par le souvenir du passé et la peur de l'avenir. J'étais fait pour un bonheur paisible. Dans ma jeunesse, je n'étais pas de ceux qui se révoltent contre leur sort et, lorsque l'ennui me prenait, la contemplation des merveilles de la nature ou l'étude des œuvres humaines dans ce qu'elles ont de sublime me redonnaient du courage. Mais je n'étais plus qu'un arbre foudroyé, qui allait fournir le spectacle d'un être objet de pitié pour les autres et de souffrance pour lui-même.

Nous restâmes longtemps à Oxford, visitant les environs, puis gagnâmes Matlock. Les campagnes qui environnent ce village ressemblent, toutes proportions gardées, aux paysages suisses, même si les collines verdoyantes n'ont pas la blanche couronne des Alpes. Nous visitâmes des petits musées d'histoire naturelle où les curiosités sont exposées de la même façon que dans ceux de Servoz et de Chamonix. Ce dernier nom me fit trembler quand Henri le prononça, et je me hâtai de quitter Matlock.

Après Derby, poursuivant toujours vers le nord, nous passâmes deux mois dans le Cumberland et le Westmorland. Des traces de neige sur l'ubac des montagnes, les lacs et les torrents me rappelaient la Suisse. Nous nous fîmes quelques relations qui me donnèrent l'illusion du bonheur. La joie de Clerval dépassait de loin la mienne. Il s'exaltait en présence d'hommes de talent, révélant des capacités qui seraient restées inconnues dans la fréquentation de gens intellectuellement inférieurs.

— Je pourrais passer ma vie ici, me disait-il. Dans ces montagnes, c'est à peine si je regretterais la Suisse et le Rhin.

Mais il s'aperçut aussi que la vie d'un voyageur comporte autant de fatigue que de joie. Il avait constamment l'esprit en éveil et ne pouvait prendre de repos, car constamment un objet nouveau attirait son attention.

Nous finissions de visiter les divers lacs du Cumberland et du Westmorland quand il fut temps d'aller au rendez-vous de notre ami écossais. Je n'étais pas fâché de poursuivre notre voyage. J'avais depuis quelque temps délaissé ma promesse et craignais ainsi d'avoir contrarié le monstre qui, s'il était resté en Suisse, pourrait se venger sur les miens. J'attendais le courrier avec une impatience fiévreuse. Dès que les lettres avaient du retard, je m'effrayais. Et quand elles arrivaient, avec l'écriture d'Élisabeth ou de mon père sur l'enveloppe, je redoutais de les ouvrir, craignant le pire. Parfois, j'avais l'impression que le monstre était à notre poursuite, et que pour me punir de mon retard, il allait assassiner mon compagnon. Dans ces moments-là, je ne quittais plus Henri, je le suivais comme son ombre pour le protéger. Il me semblait que c'était moi qui avais commis quelque crime horrible dont le remords m'obsédait. J'étais certes innocent mais sous le coup d'une terrible malédiction, aussi mortelle que si j'avais été coupable.

Je visitai Édimbourg, l'œil triste, l'esprit ailleurs. Clerval ne l'aima pas autant qu'Oxford, mais fut néanmoins charmé par la beauté, la symétrie de la partie neuve d'Édimbourg, les châteaux romantiques qui se trouvaient à proximité, et les collines du Pentland. Pour ma part, j'avais hâte d'arriver au terme de notre voyage.

Après une semaine, nous partîmes d'Édimbourg pour gagner Perth, après avoir passé par Coupar, Saint-Andrews et longé la Tay. Notre ami nous attendait. N'étant pas d'humeur à me livrer à des mondanités, je dis à Clerval que j'envisageais de visiter l'Écosse tout seul.

— Amuse-toi de ton côté, lui dis-je. Cet endroit sera notre lieu de rendez-vous. Je serai absent un mois ou deux, mais que mon absence ne t'inquiète pas. J'ai besoin, pour un certain temps, de calme et de solitude. Quand je serai de retour, j'espère avoir le cœur léger et me trouver dans des dispositions d'esprit à l'unisson des tiennes.

Henri voulut me dissuader mais, voyant que c'était vain, il n'insista pas et me demanda seulement de lui écrire souvent.

— J'aurais préféré, me dit-il, être avec toi dans tes randonnées plutôt que de me trouver avec ces Écossais que je ne connais pas. Dépêche-toi de revenir, car sans toi je me sens moins à l'aise !

Abandonnant mon ami, je décidai de chercher un coin perdu d'Écosse pour achever mes travaux. Je ne doutais pas que le monstre m'y suivrait pour me réclamer sa compagne, une fois mon œuvre achevée.

Je traversai les montagnes du Nord et choisis un îlot éloigné dans l'archipel des Orcades. L'endroit, continuellement battu par les vagues, convenait à mon travail. Le sol, pauvre, offrait une maigre pâture à quelques vaches. Il n'y avait que cinq habitants dont les membres décharnés témoignaient de leur vie misérable. Pour avoir des légumes, du pain et même de l'eau fraîche, ils devaient, quand ils le pouvaient, gagner le continent, à cinq miles de là.

Dans toute l'île, il n'y avait que trois misérables cabanes dont une était inoccupée. Je la louai. Elle se composait de deux pièces crasseuses et depuis longtemps à l'abandon. Le toit de chaume s'était effondré, les murs n'avaient plus de plâtre et la porte ne tenait plus sur ses gonds. Je la fis réparer, achetai des meubles et m'y installai, ce qui aurait dû exciter la curiosité des habitants, s'ils n'avaient été tant abrutis par leur misère. Leur indifférence me permit de rester à l'abri des regards.

Je travaillais le matin. Le soir, quand le temps le permettait, j'allais me promener sur la plage rocheuse, face aux vagues. C'était à la fois monotone et sans cesse renouvelé. Je comparais la Suisse à ce paysage désolé, évoquant les collines couvertes de vignobles, les chalets disséminés à travers les plaines, les lacs d'un bleu céleste, aux tempêtes infimes, comparées à celles de l'immense océan.

J'avais ainsi organisé mon temps. Mais plus je progressais dans mon œuvre, et plus elle me pesait. Il arrivait que pendant des journées entières je ne me sente pas capable de pénétrer dans mon laboratoire ; à d'autres moments, je travaillais nuit et jour pour rattraper le temps perdu. Lors de ma première expérience, j'étais porté par une espèce d'enthousiasme fou qui m'avait empêché de prendre conscience de l'horreur de ce que je faisais. À présent j'agissais de sang-froid et souvent, au milieu de mon travail, j'étais pris de nausées. Possédé par mon atroce besogne, cerné par une solitude que rien ne venait distraire, je devenais fébrile. Je craignais mon persécuteur et restais assis, fixant le sol, n'osant pas lever les yeux, redoutant de le voir apparaître. J'évitais aussi de trop m'éloigner de la vue des habitants de l'île de peur que le monstre, me sachant seul, ne vienne me réclamer sa compagne.

Cependant, je progressais dans mon œuvre, et pouvais croire en son prochain achèvement, malgré de terribles pressentiments.

Chapitre 20

Un soir, je me trouvais dans mon laboratoire. La lune venait juste de se lever au-dessus de la mer. Je n'avais plus assez de lumière pour travailler et je me demandai si j'allais abandonner ma tâche pour la nuit ou si je la poursuivrais afin d'en finir au plus vite. Cela m'amena à réfléchir sur les conséquences de mon acte. Trois ans plus tôt, je m'étais déjà engagé dans la même voie, j'avais créé un démon barbare, et j'en éprouvais depuis d'amers remords. Et voilà que j'étais sur le point de créer un autre être dont j'ignorais le caractère. Il pouvait être mille fois plus mauvais que le premier et prendre plaisir à faire le mal. Le démon avait juré de se tenir à l'écart des hommes et de se cacher dans les déserts. Mais sa compagne ? Elle allait, c'était probable, devenir un animal capable de raisonner, et elle refuserait peut-être de se soumettre à un pacte conclu avant sa création. Ils risquaient aussi de se haïr mutuellement. Celui qui existait déjà et qui souffrait de sa propre monstruosité pouvait être amené à se détester davantage quand il aurait sous les yeux sa réplique féminine. Et celle-ci pourrait le fuir, trouvant supérieure la beauté des humains. Dans ce dernier cas, il se retrouverait seul, d'autant plus exaspéré que la responsable de cette nouvelle provocation serait une créature de son espèce.

Même s'ils quittaient l'Europe pour les déserts du Nouveau Monde, ils pourraient y procréer, et une race de démons se propagerait sur le monde, où, semant la terreur, elle mettrait le genre humain en péril. Avais-je le droit, pour sauvegarder mes intérêts, d'attirer cette malédiction sur les générations à venir ? J'avais été touché par les raisonnements de ma créature, j'avais été impressionné par ses menaces, mais pour la première fois le danger contenu dans ma promesse m'apparaissait.

J'eus un tremblement et faillis m'évanouir lorsque, redressant la tête, je vis au clair de lune le monstre qui me fixait par la fenêtre. Un rictus immonde lui tordait la bouche tandis qu'il me regardait. Ainsi, il était venu constater l'état d'avancement des travaux, ainsi il m'avait suivi dans tous mes déplacements ! Il avait parcouru les forêts, s'était caché dans des grottes, s'était dissimulé parmi les bruyères et les landes !

Son visage exprimait la traîtrise et la malice la plus noire. Je réalisai la folie contenue dans ma promesse de lui donner une créature à son image et, tremblant de colère, je mis en lambeaux tout ce que j'avais entrepris. Le monstre me vit détruire la créature dont il attendait le bonheur et, avec un hurlement de désespoir et de vengeance, disparut.

Je quittai le laboratoire et, après avoir fermé la porte à clef, je me fis le serment solennel de ne plus jamais reprendre mes travaux. D'un pas défaillant, je gagnai ma chambre à coucher. J'étais seul, sans personne à mes côtés pour dissiper ma tristesse et m'arracher à l'oppression de cet épouvantable cauchemar.

Des heures passèrent à regarder la mer par la fenêtre. Elle était presque étale, car le vent était tombé sous le regard serein de la lune. Seules quelques barques se voyaient sur l'eau et, de temps en temps, une brise légère m'apportait des voix de pêcheurs s'interpellant. Soudain, j'entendis un clapotis de rame le long du rivage et quelqu'un débarqua tout près de ma maison.

Quelques minutes plus tard, ma porte grinça, comme si on cherchait à l'ouvrir doucement. Je tremblais de la tête aux pieds. Je pressentis qui venait et eus envie d'alerter un de mes voisins. Mais je restai impuissant, comme dans ces cauchemars où l'on tente en vain d'échapper à un danger.

Je perçus des bruits de pas dans le couloir. La porte s'ouvrit, et le monstre, comme je le redoutai, apparut. Il ferma la porte, s'approcha de moi et dit d'une voix sourde :

— Tu as détruit l'œuvre que tu avais commencée. Pourquoi ? Voudrais-tu rompre ta promesse ? J'ai quitté la Suisse en même temps que toi, j'ai traversé les îles couvertes de saules du Rhin et les sommets de ses montagnes. Longtemps, j'ai vécu au milieu des landes anglaises et écossaises. J'ai dû affronter la fatigue, le froid, la faim. Oserais-tu détruire mes espérances ?

— Va-t'en ! Je renonce à ma promesse ! Jamais je ne créerai un être à ton image, aussi laid et aussi pervers !

— Esclave, j'ai tenté de te convaincre, mais tu t'es montré indigne de la condescendance que j'avais pour toi ! N'oublie pas que c'est moi le maître. Tu te crois malheureux, mais par mon pouvoir tu peux le devenir davantage, au point que même la lumière du jour te sera odieuse. Tu es mon créateur, mais moi je suis ton maître. Obéis !

— Désormais, je n'hésite plus. Même tes menaces ne pourront pas m'obliger à accomplir une œuvre barbare, et au contraire, elles ajoutent à ma détermination de ne pas te donner une compagne dans le crime. Pourrais-je, de sang-froid, lâcher sur la terre un démon qui ne trouve satisfaction que dans le meurtre et le mal ? Va-t'en ! Je suis résolu, et tes paroles ne pourraient qu'exaspérer ma rage !

Le monstre lut ma détermination sur mon visage et, dans sa fureur impuissante, il se mit à grincer des dents.

— Chaque être humain, s'écria-t-il, peut s'accoupler à un de ses semblables, chaque animal a une femelle, et tu voudrais que je reste seul ? J'étais capable d'affection et on n'y a répondu que par la haine et le mépris. Homme ! déteste-moi, mais méfie-toi ! Tes jours à venir vont être de souffrance et de malheur, et bientôt je frapperai le coup qui t'enlèvera la paix pour toujours. La vengeance sera ma passion, ma raison de vivre, aussi indispensable que la lumière et la nourriture ! Je mourrai peut-être, mais auparavant toi, mon tyran et mon bourreau, auras maudit le soleil témoin de toutes tes infortunes. Prends garde, je n'ai peur de rien et suis très fort. J'aurai avec toi la ruse du serpent, et son venin ! Homme, tu te repentiras du mal que tu me fais !

— Assez ! Cesse d'empoisonner l'air de tes paroles haineuses ! Tu connais ma décision, et tes menaces n'y changeront rien. Disparais !

— Très bien, je m'en vais. Mais n'oublie pas, tu me retrouveras la nuit de tes noces.

Je bondis sur lui et m'exclamai :

— Scélérat ! Avant de signer mon arrêt de mort, réussis d'abord à survivre !

Je voulus l'attraper, mais il m'évita et se précipita hors de la maison. Peu après, je le vis sur sa barque filer sur l'eau à la vitesse d'une flèche, et bientôt disparaître au milieu des vagues.

Tout redevint silencieux, mais ses paroles résonnaient encore à mes oreilles. Bouillant de rage, j'aurais voulu le poursuivre et le précipiter dans l'océan. Je me mis à arpenter ma chambre, mon imagination me mettant au supplice. Pourquoi ne l'avais-je pas suivi pour engager avec lui un combat mortel ? Je l'avais laissé partir et il avait gagné le continent. Quelle serait la prochaine victime ? Je me rappelai alors ses paroles : « Tu me retrouveras la nuit de tes noces ». C'était la date qu'il avait choisie pour me tuer et satisfaire ainsi ses instincts meurtriers. J'eus peur. De penser à ma tendre Élisabeth pleurant parce qu'on avait arraché de ses bras celui qu'elle aimait, me fit jaillir des larmes, ce qui ne m'était pas arrivé depuis des mois ; je décidai de tout entreprendre pour ne pas succomber aux coups de mon ennemi.

La nuit se passa, et le soleil se leva sur l'océan. J'étais un peu calmé. Je quittai la maison et allai me promener le long du rivage. Ah, si la mer avait pu être une barrière insurmontable dressée entre mes semblables et moi-même. J'aurais voulu passer le reste de ma vie sur ce rocher aride, péniblement, certes, mais sans avoir à subir le choc soudain d'un malheur. Si je partais, c'était pour être sacrifié ou pour voir ceux que j'aimais tomber sous les coups de ma propre créature.

J'errai sur l'île comme un spectre. Vers midi, alors que le soleil était à son zénith, je me couchai sur l'herbe et m'abandonnai à un profond sommeil. J'avais veillé toute la nuit précédente, j'avais les nerfs à bout et les yeux douloureux de fatigue. Ce sommeil me régénéra. Quand je me réveillai, je me mis à réfléchir avec une plus grande lucidité. Les paroles du monstre, tel un glas, retentissaient toujours à mes oreilles.

Le soleil était déjà bas et j'étais sur la grève en train de manger une galette de maïs quand je vis une barque s'approcher et un pêcheur venir vers moi avec un paquet. Il contenait des lettres en provenance de Genève et une qui m'avait été adressée par Clerval. Il disait qu'il perdait son temps et que ses amis de Londres souhaitaient son retour afin de conclure des négociations entamées en vue de son départ aux Indes. Son séjour à Londres devant être suivi, plus rapidement qu'il ne l'avait supposé, d'un très long voyage, il me demandait de lui accorder le plus de temps possible, et voulait que je quitte mon île solitaire pour le retrouver à Perth, d'où nous pourrions repartir vers le sud. Cette lettre me rappelait à la vie et je décidai de prendre la route dans les deux jours.

Toutefois, avant de partir, il me fallait encore accomplir une tâche qui m'écœurait. Je devais emballer mon matériel et, pour ce faire, pénétrer dans la pièce qui avait été le théâtre de mon odieuse besogne et manipuler des instruments dont la vue m'horrifiait. À l'aube du lendemain, je rassemblai mon courage et ouvris la porte de mon laboratoire. Les restes de la créature inachevée que j'avais détruite étaient éparpillés sur le sol et j'eus l'impression d'avoir mutilé la chair vivante d'un être humain. En tremblant, j'emportai mes instruments hors du laboratoire, mais me dis que je ne pouvais pas abandonner là ces restes qui risquaient d'éveiller l'horreur et la suspicion des paysans. Je les rassemblai dans un grand panier sur lequel j'entassai des pierres et je décidai de le jeter dans la mer dès la nuit. Puis je descendis sur la plage pour nettoyer et ranger mon matériel.

Depuis la nuit où le démon m'était apparu, j'avais subi une transformation radicale. Il me semblait qu'un voile s'était déchiré devant mes yeux et que, pour la première fois, je voyais les choses clairement. Pas un seul instant ne me revint l'idée de reprendre mes travaux. Certes, la menace du monstre pesait toujours sur moi, mais il n'était plus question que je l'écarte en tenant cette promesse qui m'avait désespéré. Créer un second monstre aurait été faire preuve d'un égoïsme abject, et le plus atroce, et je chassais de mon esprit toute pensée qui m'aurait amené à envisager le contraire.

La lune se leva entre deux ou trois heures du matin. Je mis mon panier dans une petite embarcation et m'éloignai des côtes à environ quatre miles. L'endroit était solitaire. Quelques bateaux gagnaient la terre, mais je les évitai. J'avais l'impression de commettre un crime horrible et j'avais peur de croiser un être humain. Bientôt, la lune, qui brillait jusque-là, disparut derrière un épais nuage, et je profitai de l'obscurité pour jeter mon panier.

J'entendis l'eau se refermer sur lui.

Le ciel était devenu nuageux, mais l'air était pur, quoique refroidi par le vent du nord qui s'était levé. Mais cette fraîcheur me causa une sensation si agréable que, pour rester sur l'eau, je bloquai le gouvernail et m'étendis au fond de l'embarcation. Des nuages cachaient la lune, les ténèbres s'épaississaient et je n'entendais plus que le bruit des vagues fouettant le bateau. Bercé, je m'endormis.

Combien de temps restai-je ainsi ? Lorsque je me réveillai, le soleil brillait déjà très haut. Le vent avait forci, et les vagues soulevaient de plus en plus fortement ma petite embarcation. Je me rendis compte que le vent soufflait du nord-est et que je devais être très loin de l'endroit où je m'étais embarqué. Je m'efforçai de changer de trajectoire mais constatai que cette manœuvre risquait de faire chavirer mon bateau.

Ma seule ressource consistait à me laisser pousser par le vent. J'eus un moment de folle panique. Je n'avais pas de boussole et je connaissais trop mal la géographie de cette partie du monde pour m'orienter à partir de la position du soleil. J'aurais pu dériver vers les immensités de l'Atlantique et y connaître les affres de la faim et de la soif avant d'être englouti par les eaux qui mugissaient alentour. Il y avait déjà plusieurs heures que j'étais parti et je commençais à avoir soif, prélude à d'autres souffrances. Je regardai les cieux où couraient de lourds nuages poussés par les vents, puis contemplai la mer, qui allait être ma tombe.

— Monstre ! m'écriai-je. Ton œuvre est presque accomplie !

Je songeai à Élisabeth, à mon père, à Clerval abandonnés, désormais, aux instincts sanguinaires du monstre. Cette pensée ne fit qu'attiser mon désespoir et me fit tellement souffrir que maintenant encore, alors que le drame va connaître son dénouement, j'en frémis encore.

Plusieurs heures se passèrent ainsi. Puis progressivement, tandis que le soleil descendait sur l'horizon, le vent s'apaisa et les vagues se calmèrent. Mais la houle, elle, continuait. Je me sentais malade, incapable de tenir le gouvernail, lorsque soudain j'aperçus des falaises au sud.

Bien qu'épuisé par ce que je venais d'endurer durant des heures, j'eus la subite certitude que j'allais revivre.

Des larmes jaillirent de mes yeux. En me servant d'une partie de mes vêtements, je fabriquai une autre voile et mis rapidement le cap sur la terre. C'était, à première vue, une terre rocailleuse, mais, comme j'approchais, j'aperçus des traces de culture. Je vis des bateaux en bordure du rivage et compris que j'étais revenu parmi des hommes civilisés. Je longeai les côtes et me guidai sur un clocher dont je distinguai la pointe au-delà d'un promontoire. Comme je me sentais extrêmement faible, je décidai de gagner directement la ville où je pourrais plus facilement me procurer de la nourriture. Par bonheur, j'avais de l'argent sur moi. En contournant le promontoire, j'aperçus une charmante ville ainsi qu'un beau port, où j'entrai, heureux d'être sauf, après tant d'angoisses.

Tandis que j'amarrais mon bateau et pliais les voiles, plusieurs individus vinrent vers moi. Ils semblaient surpris de me voir mais, au lieu de me porter secours, ils se mirent à parler entre eux avec des gestes qui, en d'autres occasions, m'auraient inquiété. Comme ils parlaient anglais, je m'adressai à eux dans cette langue :

— Auriez-vous, s'il vous plaît, l'amabilité de me dire le nom de cette ville et où je suis ?

— Vous le saurez bientôt, me répondit un homme d'une voix rude. Peut-être n'allez-vous pas trouver l'endroit vraiment à votre goût, mais, ce qui est sûr, c'est qu'on ne demandera pas votre avis pour vous loger.

J'étais surpris d'une réponse aussi brutale et tout autant déconcerté de l'hostilité de ses compagnons.

— Pourquoi me répondez-vous de façon aussi brutale ? Ce n'est pas dans les habitudes des Anglais d'accueillir les étrangers d'une façon aussi inhospitalière !

— J'ignore, dit l'homme, quelle est l'habitude des Anglais ; mais c'est l'habitude des Irlandais de haïr les scélérats !

Tandis que se poursuivait ce dialogue surprenant, je voyais la foule grossir rapidement. Les visages exprimaient un mélange de curiosité et de colère, qui, peu à peu, me fit peur. Je demandai le chemin d'une auberge, mais on ne me répondit pas. Je m'avançai, et un murmure s'éleva de la foule qui m'entourait. Alors surgit un individu patibulaire, qui me tapa sur l'épaule.

— Suivez-moi, monsieur, chez M. Kirwin pour vous expliquer avec lui.

— Qui est M. Kirwin ? Pourquoi dois-je m'expliquer ? Ne suis-je pas dans un pays libre ?

— Si, monsieur, libre pour les honnêtes gens. M. Kirwin est magistrat et vous vous expliquerez avec lui sur la mort d'un homme qui a été assassiné ici, la nuit dernière.

Cette réponse me fit tressaillir, mais, rapidement, je me contrôlai. J'étais innocent et pouvais aisément le prouver. Je suivis donc mon guide en silence et fus conduit dans une des plus belles maisons de la ville. Je n'étais pas loin de tomber de fatigue et de faim, mais, avec la foule qui m'entourait, je veillai à ne pas me laisser aller, car une défaillance aurait pu être interprétée comme un signe de peur ou de culpabilité. Toutefois, j'étais loin d'imaginer la calamité qui allait m'accabler et me plonger dans un tel désespoir que je n'aurais plus le souci du déshonneur et de la mort.

Il faut que je m'arrête un peu, car je dois rassembler toutes mes forces pour me rappeler dans le moindre détail les événements atroces que je vais vous raconter.

Chapitre 21

Je fus bientôt conduit devant un magistrat, un vieillard bienveillant aux manières calmes. Il me regarda avec gravité puis, se tournant vers ceux qui m'accompagnaient, demanda quels étaient les témoins.

Une demi-douzaine d'hommes se présentèrent, et l'un d'eux, choisi par le magistrat, fit sa déposition. Il déclara qu'il était parti pêcher, la veille au soir, avec son fils et son beau-frère, Daniel Nugent, quand, vers dix heures, après avoir observé que le vent du nord était en train de se lever, ils avaient préféré regagner le port. C'était une nuit sans lune, obscure. Au lieu d'accoster dans la rade, ils avaient mouillé selon leur habitude dans une crique, deux miles plus bas. Il était parti le premier, muni d'une partie du matériel de pêche, ses compagnons le suivant à quelque distance. Comme il avançait le long de la grève, il avait heurté du pied quelque chose qui l'avait fait tomber. Ses compagnons l'avaient aidé à se relever et, à la lueur de leur lanterne, ils s'étaient rendu compte qu'il avait trébuché sur le corps d'un homme mort. Ils avaient d'abord cru que c'était là le cadavre d'un noyé, rejeté par la mer sur le rivage. Mais ils avaient ensuite remarqué que les vêtements de l'homme n'étaient pas mouillés et que le corps n'était pas encore tout à fait froid. Ils l'avaient immédiatement transporté dans la maison d'une vieille femme qui habitait les environs pour tenter, en vain, de le ranimer. C'était un jeune homme qui paraissait avoir dans les vingt-cinq ans. À première vue, il avait été étranglé mais, en dehors d'une marque de doigt noire autour du cou, on ne voyait sur lui aucune trace de violence.

La première partie de cette déposition ne me concernait nullement. Mais lorsque fut mentionnée la marque de doigt, je me souvins du meurtre de mon frère et me mis à trembler ; un voile me couvrit les yeux et je dus m'appuyer sur une chaise. Le magistrat m'observait attentivement, car mon attitude ne plaidait pas en ma faveur.

Les propos du pêcheur furent confirmés par son fils. Quand Daniel Nugent prit la parole, il affirma que, peu avant la chute de son compagnon, il avait vu à une faible distance du rivage un bateau où il n'y avait qu'un homme. Et, pour autant qu'il était possible d'en juger à la lueur des quelques rares étoiles, c'était là le même bateau que celui dans lequel j'avais accosté.

Puis une femme, qui vivait près de la plage et s'était tenue sur le seuil de sa maison pour guetter le retour des pêcheurs, déclara qu'une heure avant qu'on ne lui apprenne la découverte du corps, elle avait aperçu un bateau n'ayant qu'un seul homme à bord, tout près du rivage, non loin de l'endroit où on avait trouvé le cadavre. La femme chez qui les pêcheurs avaient apporté la malheureuse victime confirma les faits. Le corps n'était pas froid. On l'avait étendu sur un lit et on l'avait frictionné. Bien que le jeune homme fût sans vie, Daniel s'était rendu en ville pour chercher un apothicaire.

Plusieurs autres personnes furent interrogées à mon sujet. Elles s'accordèrent pour dire que, à cause du vent du nord qui s'était levé au milieu de la nuit, il était presque certain que j'avais dérivé durant de nombreuses heures et que j'avais été contraint de revenir tout près de mon point de départ. En outre, ils firent observer que j'avais vraisemblablement amené le corps d'un autre endroit et que, ne connaissant pas la côte, j'avais gagné le port, sans savoir quelle distance séparait la ville du lieu où j'avais déposé le cadavre.

Après avoir écouté ces déclarations, M. Kirwin souhaita me conduire dans la pièce où l'on avait placé le corps, en attendant l'inhumation. Il voulait sans doute se rendre compte de l'effet qu'exercerait sur moi ce spectacle.

L'idée lui était probablement venue au moment où je m'étais troublé. Je fus emmené à l'auberge, escorté par le magistrat et par de nombreuses autres personnes. Les coïncidences étaient étranges, mais à l'heure où le cadavre avait été découvert, j'étais en train de discuter avec les habitants de mon île, et n'avais aucune inquiétude sur les suites de cette affaire.

J'entrai dans la pièce où l'on avait déposé le corps et m'approchai du cercueil. Comment décrire mes réactions en découvrant le cadavre ? J'en ressens encore l'horreur et en souffre encore le martyre. L'interrogatoire, la présence du magistrat et des témoins, tout disparut de mon esprit lorsque je vis, couché devant moi, le corps inanimé de Henri Clerval. Je chancelai et, me précipitant sur lui, je m'écriai :

— Toi aussi as été victime de mes machinations criminelles, ô, mon cher Henri ! J'ai déjà détruit deux êtres humains. D'autres vont encore succomber ! Mais toi, Clerval, mon ami, mon bienfaiteur…

En proie à de violentes convulsions, je fus conduit hors de la pièce. La fièvre me saisit. Pendant deux mois, je fus entre la vie et la mort. Mes délires, je l'appris plus tard, étaient effroyables. Je m'accusais du meurtre de William, de Justine, de Clerval. Parfois, je suppliais ceux qui m'assistaient de détruire le démon qui me tiraillait. Parfois aussi, je sentais les doigts du monstre qui me serraient le cou et je hurlais de terreur. Par bonheur, comme je m'exprimais dans ma langue maternelle, seul M. Kirwin me comprenait. Mais mes gesticulations et mes cris effrayaient les autres témoins.

Pourquoi ne suis-je pas mort ? Moi, l'homme le plus malheureux de la terre, pourquoi n'ai-je pas disparu dans l'oubli ? De quoi étais-je donc fait pour résister à toutes ces épreuves qui sans cesse venaient me torturer ?

J'étais condamné à vivre. Au bout de deux mois, comme au sortir d'un rêve, je m'aperçus que j'étais en prison, étendu sur un grabat, entouré de gardiens, de verrous, de grilles et de tout ce qui se trouve dans un cachot. C'est un matin que je me rendis compte de ma situation. J'avais oublié les détails des événements que j'avais vécus et il me semblait seulement qu'un désastre s'était abattu sur moi. Mais quand je vis les fenêtres avec des barreaux et l'étroitesse de mon cachot, tout me revint en mémoire et je tressaillis de chagrin.

Le bruit réveilla une femme âgée qui dormait sur une chaise, à côté de moi. Elle était garde-malade, femme d'un des geôliers. Ses traits exprimaient tous les vices qui caractérisent cette sorte de gens. Son visage était grossier, ses traits rudes, comme ceux des personnes que la misère n'émeut pas. Sa voix trahissait son indifférence. Elle me parla en anglais et sa voix me choqua comme si je l'avais déjà perçue pendant mes souffrances.

— Vous sentez-vous mieux à présent ? me demanda-t-elle.

Je lui répondis dans la même langue, d'une voix affaiblie :

— Je crois que oui. Mais si tout cela est vrai, si tout cela n'est pas un cauchemar, je regrette d'être encore en vie et de ressentir tant de souffrance et tant d'horreur.

— Pour ça, oui, répondit la vieille femme, si vous voulez parler du gentleman que vous avez tué, je crois qu'il aurait mieux fallu, pour vous, être mort, car j'ai l'impression que ça va être dur pour vous ! Mais ce ne sont pas mes affaires ! Je suis ici pour vous soigner et pour vous aider à vous rétablir. Si tout le monde en faisait autant !

Je me détournai avec dégoût de cette femme qui était capable d'adresser des paroles aussi inhumaines à un homme qui venait d'échapper à la mort. Mais j'étais encore trop faible pour réfléchir à tout ce qui s'était passé. Toute ma vie m'apparaissait comme un rêve ; rien, dans mon esprit, ne me paraissait réel.

Au fur et à mesure que ces images floues se précisaient, je devenais plus fiévreux. Les ténèbres se pressaient autour de moi. Personne n'était là pour me parler d'une voix douce et affectueuse, me tendre une main secourable. Le médecin venait, me prescrivait des remèdes que la vieille femme préparait à mon intention. Le premier ne me témoignait que de l'indifférence et, sur le visage de la seconde, ne se reflétait que de la rudesse. Qui pouvait s'intéresser au sort d'un assassin, en dehors du bourreau payé pour me pendre ?

C'étaient là les réflexions qui me traversaient l'esprit. Cependant, j'appris bientôt que M. Kirwin s'était montré attentif à ma situation, et avait fait en sorte que ma geôle fût la plus convenable de la prison, même si elle restait bien misérable ; c'était à lui que je devais d'être soigné par un médecin et une garde-malade. Il est vrai qu'il ne venait pas me voir souvent, car s'il était désireux de soulager les souffrances d'un être humain, il ne voulait sans doute pas assister aux tourments et aux délires lamentables d'un assassin. Il venait donc, de temps à autre, constater que l'on ne me négligeait pas trop, mais ses visites étaient brèves et fort espacées.

Un jour, alors que je me rétablissais lentement, assis sur une chaise, les yeux à moitié ouverts, le visage aussi livide que celui d'un mort, plongé dans ma propre misère, je me dis qu'il valait mieux mourir plutôt que de retrouver un monde si tourmenté. J'envisageai de me déclarer coupable comme Justine l'avait fait, alors même qu'elle était innocente. C'est alors que la porte de ma cellule s'ouvrit, et M. Kirwin apparut. Son visage exprimait la sympathie et la compassion. Il s'assit sur une chaise à côté de moi et m'adressa la parole en français.

— Je crains que cet endroit ne vous rebute, dit-il. Puis-je faire quelque chose qui serait de nature à améliorer votre sort ?

— Je vous remercie, mais tout cela n'a plus d'importance pour moi. Plus rien, sur cette terre, ne peut me consoler.

— Je sais que la sympathie d'un étranger ne peut guère agir sur quelqu'un comme vous frappé d'un si curieux malheur. Mais j'espère que bientôt vous pourrez quitter ce lieu de misère, car je ne doute pas qu'on réussira à trouver un témoignage qui vous innocentera de ce crime.

— C'est bien le dernier de mes soucis. Par un étrange concours de circonstances, je suis devenu le plus misérable des mortels. Persécuté et torturé comme je l'ai été et comme je le suis, je ne crains pas la mort.

— Rien en effet n'est plus malchanceux et angoissant que ce qui s'est passé dernièrement. À la suite d'un accident bizarre, vous avez été jeté sur ce rivage, réputé pour son hospitalité, puis aussitôt arrêté et accusé de meurtre. Et la première chose qu'on a mise sous vos yeux, c'est le corps de votre ami, tué de manière inexplicable et placé en quelque sorte par quelque démon sur votre chemin.

Tandis que M. Kirwin parlait, en dépit de l'émoi que me causait le rappel de mes souffrances, j'étais surpris d'apprendre qu'il en savait beaucoup sur moi. Il dut lire l'étonnement sur mes traits, car il s'empressa d'ajouter :

— Quand vous êtes tombé malade, tous les papiers qui se trouvaient sur vous m'ont été apportés. Je les ai examinés afin de pouvoir découvrir un renseignement susceptible de mettre votre famille au courant de vos malheurs et de votre état. J'ai trouvé quelques lettres et, entre autres, une de votre père. Immédiatement, j'ai écrit à Genève. Depuis que j'ai envoyé ma lettre, deux mois se sont écoulés. Vous êtes toujours malade et maintenant encore vous tremblez ; il faut vous épargner toute émotion.

— Attendre me serait mille fois plus pénible ! Dites-moi donc qui est mort, quel autre meurtre il me faut à présent pleurer !

— Votre famille se porte bien, dit M. Kirwin avec gentillesse, et il y a ici un ami qui est venu vous rendre visite.

Pourquoi cette idée s'imposa-t-elle à moi ? À cet instant, je crus que c'était l'assassin qui était venu pour me narguer et me rendre responsable de la mort de Clerval, afin de m'inciter de nouveau à reprendre mes travaux. Je mis la main devant mes yeux et m'écriai avec désespoir :

— Oh ! Chassez-le ! Je ne peux pas le voir ! Pour l'amour de Dieu, ne le laissez pas entrer !

M. Kirwin me considéra d'un air troublé. Pour lui, mon exclamation pouvait suggérer ma culpabilité, et il me dit d'un ton sévère :

— J'aurais cru, jeune homme, que la présence de votre père aurait été la bienvenue, et voilà qu'elle vous inspire une vive répulsion !

— Mon père ! m'écriai-je, tandis que mon trouble s'estompait. Mon père est venu ? Mais où est-il ? Pourquoi ne se dépêche-t-il pas ?

Mon changement d'attitude surprit agréablement le magistrat. Sans doute pensa-t-il que mon exclamation n'avait été qu'un regain furtif de mon délire. De nouveau il devint affable. Il se leva et quitta la pièce avec la garde-malade. Un moment plus tard, mon père entrait.

Rien, à cet instant, n'aurait pu me procurer une joie plus complète que cette arrivée. Je lui tendis les mains et m'écriai :

— Tu es donc sain et sauf !... Et Élisabeth... Et Ernest ?

Mon père me calma et m'assura que tout le monde allait bien. En abordant des sujets qui m'étaient chers, il s'efforça ensuite de me redonner courage. Mais il se rendit compte rapidement qu'une prison n'était pas l'endroit idéal pour abriter le bonheur.

— Étrange endroit que celui où tu habites, mon fils ! dit-il en regardant tristement les fenêtres grillagées et l'aspect sinistre de la cellule. Tu étais parti en voyage pour trouver le bonheur, mais la fatalité s'acharne sur toi. Le pauvre Clerval...

Le nom de mon ami assassiné me fit, dans l'état d'abattement où je me trouvais, éclater en sanglots.

— Hélas, c'est vrai, une terrible fatalité me poursuit et je dois vivre pour l'accomplir. Si ce n'était pas le cas, je serais déjà mort sur le cercueil d'Henri !

On ne nous permit pas de converser plus longtemps, car mon état de santé précaire nécessitait le calme le plus absolu. M. Kirwin revint et insista pour que je n'épuise pas mes forces dans un effort trop grand. Mais l'apparition de mon père avait ressemblé à mes yeux à celle d'un ange secourable, et, peu à peu, je recouvrai ma santé.

Tandis que la maladie disparaissait, je tombai dans une sombre mélancolie que rien ne pouvait dissiper. L'image de Clerval assassiné me hantait sans cesse. Plusieurs fois, mon extrême agitation fit craindre à mon entourage une rechute. Des heures et des heures, je restais assis, immobile, prostré, attendant une catastrophe qui nous engloutirait, mon destructeur et moi, dans ses ruines.

L'ouverture des assises approchait. Il y avait déjà trois mois que j'étais en prison et, bien qu'encore très faible et toujours exposé à une rechute, je fus contraint de parcourir une centaine de miles pour gagner la ville où siégeait le tribunal. M. Kirwin s'occupa lui-même de convoquer les témoins et de pourvoir à ma défense. On m'épargna la disgrâce de paraître en public comme un criminel, car l'affaire ne fut pas débattue devant la cour qui décide de la peine de mort.

Après qu'eut été établie la preuve que je me trouvais bien dans les Orcades quand le corps de mon ami avait été découvert, le grand jury m'acquitta. Quinze jours après mon transfert, j'étais libéré. Le fait que j'étais ainsi lavé de tout soupçon soulagea mon père : j'allais de nouveau respirer l'air pur et revenir au pays natal. Mais je ne partageais pas ses sentiments : les murs d'une prison ou ceux d'un palais, pour moi, c'était pareil.

La coupe de ma vie était désormais empoisonnée. Le soleil avait beau briller pour moi, comme pour ceux qui ont le cœur en joie, je ne voyais autour de moi que lourdes ténèbres, je ne distinguais aucune lueur, sinon celle de deux yeux effrayants. Parfois c'étaient ceux d'Henri, troublés par la mort, leurs globes presque voilés par les paupières et par la frange des cils. Parfois encore c'étaient les yeux glauques du monstre, tels que je les avais vus la première fois dans ma chambre à Ingolstadt.

Mon père essayait de susciter en moi des sentiments d'affection. Il me parlait de Genève que j'allais revoir bientôt, d'Élisabeth, d'Ernest. Mais ses paroles me faisaient gémir. Certes, il m'arrivait de ressentir un besoin de bonheur et je pensais mélancoliquement à ma cousine que j'aimais, j'aspirais à revoir le bleu du lac et le Rhône rapide que j'aimais tant dans mon enfance. Mais ma torpeur était telle qu'il m'était indifférent d'être en prison ou de contempler de magnifiques paysages. Mon hébétude était traversée par des accès d'angoisse et de désespoir. Et dans ces moments-là, je voulais mettre fin à mes jours et je l'aurais sans doute fait si je n'avais été étroitement surveillé.

Il me restait pourtant un devoir à accomplir, qui l'emporta sur mon désespoir égoïste. Je devais rapidement regagner Genève pour protéger les miens et guetter l'arrivée du monstre assassin. Si j'avais de la chance, je trouverais l'endroit de son refuge, à moins qu'il ne tente de se manifester à nouveau, auquel cas il me faudrait l'abattre. Mon père, lui, souhaitait retarder notre départ, car il craignait pour moi les fatigues du voyage, tant j'étais faible, l'ombre d'un être humain. J'étais épuisé et continuellement rongé par la fièvre.

Cependant, comme je me montrais impatient de quitter l'Irlande, mon père céda. Nous prîmes place à bord d'un navire en partance pour Le Havre et, sous vent favorable, nous quittâmes les côtes irlandaises. Il était minuit. Étendu sur le pont, je regardai les étoiles et écoutai le bruissement des vagues, heureux que l'obscurité dérobe l'Irlande à ma vue, heureux à l'idée que, bientôt, j'allais revoir Genève. Le passé me semblait avoir été un odieux cauchemar ; pourtant, le voilier où je me trouvais, le vent qui me poussait loin de l'Irlande, la mer alentour, tout attestait que je n'avais pas rêvé et que Clerval, mon meilleur ami, avait été la victime du monstre que j'avais créé. Je me remémorais ma vie entière, la douceur de vivre en famille à Genève, la mort de ma mère, mon départ pour Ingolstadt. Je frémissais en me rappelant le fol enthousiasme qui m'avait poussé à créer mon horrible ennemi et je revoyais la nuit où je lui avais fait don de la vie. Je ne pus poursuivre le cours de mes pensées, tant j'étais oppressé, et me mis à pleurer amèrement.

Depuis que ma santé s'était rétablie, j'avais pris l'habitude d'absorber chaque soir un peu de laudanum, car cette drogue me permettait de prendre le repos nécessaire pour me maintenir en vie. Accablé par mes souvenirs, je doublai la dose habituelle et m'endormis profondément.

Mais le sommeil ne me libéra pas de mes pensées et une succession d'images effrayantes me traversa l'esprit. Vers le matin, j'eus un cauchemar. Je sentais autour de mon cou les mains du monstre et je ne pouvais pas m'en dégager. J'entendais des hurlements. Mon père, à mon chevet, percevant mon trouble, me réveilla. Nous étions entre vagues et nuages, et le démon n'était pas là ; j'eus une impression de sécurité, de trêve entre le présent et un avenir qui s'annonçait tragique.

Chapitre 22

Une fois débarqués, nous nous rendîmes à Paris. J'avais trop présumé de mes forces et je devais me reposer avant d'aller plus loin. Mon père ne cessait de m'entourer de ses soins et de ses attentions, mais il ignorait les causes de mes souffrances et croyait les guérir en me suggérant d'aller m'amuser en société, moi qui ne supportais plus de croiser un être humain. Non par mépris ; je considérais les hommes comme mes semblables, même les plus vils d'entre eux. Mais il me semblait que je n'avais pas le droit de les fréquenter. J'avais envoyé parmi eux un ennemi dont le seul plaisir était de tuer et de semer le malheur. S'ils en avaient eu connaissance, tous les hommes m'auraient haï et mis au ban de la société.

Mon père, puisque je ne voulais pas me mêler au monde, s'efforça de vaincre mon désespoir par la force de ses arguments. Il croyait que j'avais été profondément affecté de l'accusation de meurtre et essayait de me démontrer combien ma fierté était dérisoire.

— Mon père, tu me connais mal ! Je suis trop misérable pour avoir de l'orgueil. Justine, la pauvre Justine, était innocente, plus innocente que moi, et pourtant on l'a également accusée de meurtre et elle a été exécutée ! À cause de moi, c'est moi qui l'ai tuée ! William, Justine, Henri, ils sont tous morts par ma faute !

Pendant mon emprisonnement, mon père m'avait souvent entendu tenir les mêmes propos. Lorsque je m'accusais de la sorte, il semblait parfois sur le point de me demander une explication mais, plus généralement, devait assimiler mes propos à du délire, comme si, pendant ma maladie, cette idée s'était imposée à moi et continuait à me poursuivre pendant ma convalescence. J'évitais toute explication et ne révélai rien concernant ma créature. J'étais persuadé que si je le faisais, on me prendrait pour un fou et, pour cette raison, je gardais le silence. Du reste, je n'avais aucune envie de révéler un secret capable d'inspirer tant d'effroi et d'horreur. J'aurais pourtant tant désiré susciter la compassion en échange de mon fatal secret. C'était contre mon gré que je laissais échapper de tels propos, mais de les tenir me soulageait de mon mal mystérieux.

Ce fut lors d'une telle circonstance que mon père me dit avec étonnement :

— Mon cher Victor, de quoi parles-tu ? Je t'en prie, ne prononce plus ces mots !

— Je ne suis pas fou ! m'écriai-je vivement. Le soleil et le ciel m'en sont témoins, je dis la vérité. Je suis l'assassin de toutes ces victimes innocentes, qui sont mortes à cause de mes machinations. J'aurais préféré mille fois verser mon propre sang, goutte à goutte, pour leur sauver la vie ! Mais je n'ai pas pu le faire, je ne pouvais pas sacrifier toute l'espèce humaine !

La fin de mon propos fit croire à mon père que j'avais l'esprit dérangé et aussitôt il changea de sujet. Il cherchait par tous les moyens à me faire oublier ce qui s'était produit en Irlande, en évitant d'y faire allusion. Avec le temps, je devins plus calme. L'angoisse ne m'avait pas quitté, mais je ne parlais plus de mes crimes de façon incohérente. Au prix d'un violent effort sur moi-même, je jugulais mes tourments. Je me montrais plus calme, plus équilibré que je ne l'avais jamais été depuis mon voyage sur la mer de glace.

Quelques jours avant notre départ de Paris pour la Suisse, je reçus d'Élisabeth la lettre suivante :

« Mon cher ami,

« C'est avec la plus grande joie que j'ai accueilli la lettre de mon oncle datée de Paris ; vous n'êtes donc plus très loin et je puis espérer vous revoir dans une quinzaine de jours. Mon pauvre cousin, comme tu as dû souffrir. Je m'attends à te trouver encore plus pâle qu'à ton départ de Genève. L'hiver a été pénible, tant j'étais inquiète. Mais je souhaite te retrouver plus détendu, plus tranquille, le cœur apaisé.

« Je crains néanmoins que tes dispositions d'esprit ne soient toujours les mêmes que celles qui te rendaient si malheureux il y a un an, et peut-être, au fil du temps, éprouves-tu plus de chagrin encore. Mais je m'en voudrais de te troubler en ce moment, alors que tu as déjà été si malmené. Cependant, j'ai conversé avec mon oncle avant son départ pour l'Irlande et je crois qu'une explication est nécessaire entre nous.

« Une explication ! vas-tu te dire. Quelle explication ? Si tu te poses vraiment cette question, c'est que mes préoccupations sont sans fondement et que mes doutes n'ont aucune raison d'être. Mais tu es loin de moi et il est possible que cette explication te fasse peur et qu'en même temps tu la souhaites. Si c'est le cas, je ne peux pas repousser plus longtemps ce besoin que j'ai de t'écrire et qu'en ton absence je n'ai pas eu le courage d'entreprendre.

« Tu sais bien, Victor, que depuis notre enfance nos parents ont espéré nous marier. Quand nous étions jeunes, ils en parlaient déjà. À cette époque, nous nous aimions comme des camarades de jeu et je crois qu'au fur et à mesure que nous avons grandi, nous sommes devenus des très chers amis l'un à l'autre. Souvent, un frère et une sœur éprouvent l'un pour l'autre une profonde affection sans désirer pour autant une union plus intime, et se pourrait-il que ce soit notre cas ? Dis-le-moi, mon cher Victor. Je t'en prie, réponds-moi sincèrement, pour notre bonheur commun : en aimes-tu une autre ?

« Tu as voyagé, tu as passé plusieurs années à Ingolstadt, et je t'avoue que lorsque, à l'automne dernier, je t'ai vu si malheureux, cherchant la solitude, je n'ai pas pu m'empêcher de croire que tu regrettais ton engagement mais que tu te sentais obligé, pour une question d'honneur, de répondre aux vœux de tes parents, quand bien même ton cœur s'y opposait. Mais c'est là un mauvais raisonnement. Je te le confesse, je t'aime, et dans mes rêves d'avenir, tu apparais toujours comme mon ami fidèle, comme mon compagnon. Mais c'est ton bonheur que je désire autant que le mien, et si notre mariage devait t'être imposé et non librement consenti, j'en serais éternellement malheureuse. Je pleure en pensant que tu pourrais te sacrifier par honneur, alors que tu as subi les plus cruelles calamités et que seuls l'amour et la joie pourront te faire redevenir toi-même. Mon amour est désintéressé et je ne voudrais pas augmenter tes peines en étant un obstacle à tes vœux. Sois assuré que ta cousine et camarade de jeu t'aime sincèrement. Sois heureux, mon ami, et si tu parviens à l'être, sois certain que rien sur terre ne pourra troubler ma sérénité.

« Mais que cette lettre ne te perturbe pas. Ne me réponds ni demain, ni après-demain, ni même avant ton retour si elle doit te causer quelque peine. Mon oncle m'enverra des nouvelles de ta santé et si je distingue un seul sourire sur tes lèvres quand nous nous rencontrerons, je n'aurai pas besoin d'un autre bonheur.

« Élisabeth Lavenza,
« Genève, le 18 mai 17.. »

Cette lettre me remit en mémoire la menace du monstre que j'avais oubliée : « Tu me retrouveras la nuit de tes noces ! » C'était ma condamnation, et lors de cette nuit le démon allait tout mettre en œuvre pour me détruire et m'ôter le seul rayon de bonheur capable, partiellement, d'apaiser mes souffrances. Cette nuit-là, ses crimes trouveraient leur apothéose dans ma propre mort. Qu'il en soit donc ainsi ! Nous allions engager un combat décisif et, s'il sortait victorieux, j'aurais la paix et son pouvoir sur moi serait terminé. S'il était vaincu, je redeviendrais un homme libre. Mais quelle liberté ! Celle du paysan dont la famille a été massacrée sous ses yeux, dont la ferme a été détruite, les labours saccagés et qui se retrouve seul, sans toit, sans biens, mais libre ! Voilà quelle serait ma liberté, sauf qu'avec Élisabeth je posséderais un trésor, trésor que j'aurais malheureusement reçu avec de terribles remords et le sentiment d'une culpabilité qui me hanterait jusqu'à mon dernier souffle. Douce, tendre Élisabeth ! Je lus et relus sa lettre, qui me redonnait un peu d'allégresse. Pour rendre Élisabeth heureuse, j'étais prêt à mourir. Mon mariage pouvait-il précipiter mon destin ? Le monstre pouvait en effet avancer de quelques mois la date de ma mort et s'il soupçonnait que j'envisageais, épouvanté par ses menaces, de retarder mon mariage, il trouverait sûrement un autre moyen, peut-être plus terrible encore, d'assouvir sa vengeance. Il avait juré de venir la nuit de mes noces, mais cela ne l'empêcherait pas, dans l'intervalle, de se manifester. N'avait-il pas assassiné Clerval immédiatement après avoir proféré ses menaces ? Aussi, puisque mon mariage dans les plus brefs délais faisait à la fois le bonheur de ma cousine et celui de mon père, je ne pouvais pas le retarder.

Ce fut dans cet état d'esprit que j'écrivis à Élisabeth.

« Je crains, ma chérie, qu'il ne nous reste pas beaucoup de bonheur à recueillir sur cette terre. Pourtant, celui que je peux encore trouver est en toi. Chasse donc tes craintes, elles sont vaines. C'est à toi seule que j'ai consacré ma vie. J'ai un secret, Élisabeth, un secret abominable. Quand il te sera révélé, tu en frémiras d'horreur et alors, loin d'être surprise de ma misère, tu t'étonneras que je vive toujours après tout ce que j'ai enduré. Je te confierai cette effrayante et lamentable histoire le lendemain de notre mariage, car, ma chère cousine, une parfaite confiance doit régner entre nous. Mais jusque-là, je t'en conjure, n'en fais ni mention ni allusion. Je te le demande avec force et je sais que tu en tiendras compte. »

Une semaine après la réception de la lettre d'Élisabeth, nous arrivâmes à Genève. Elle m'accueillit avec beaucoup de chaleur, mais des larmes lui montèrent aux yeux lorsqu'elle constata ma maigreur et ma fièvre. Elle aussi avait changé, était devenue plus mince et elle avait un peu perdu de la vivacité qui avait enchanté mon adolescence ; mais avec la gentillesse et la compassion dont elle faisait preuve, je ne pouvais trouver meilleure compagne pour un être aussi déprimé et aussi misérable que moi.

Ma tranquillité ne dura pas. Mes souvenirs me rendaient fou. Tantôt je devenais furieux, tantôt je restais prostré. Je ne parlais plus, je ne regardais personne et ressassais tous les malheurs qui s'étaient abattus sur moi.

Élisabeth seule avait le pouvoir de m'arracher à cette démence ; sa douce voix m'apaisait, ou m'arrachait à ma torpeur. Elle pleurait avec moi et sur moi. Dès que je recouvrais la raison, elle me grondait et tentait de m'inciter à la résignation, à cesser de me révolter vainement.

Peu après mon arrivée, mon père aborda la question de mon mariage avec Élisabeth. Je gardai le silence.

— As-tu donc pris un autre engagement ?

— Pas le moins du monde. J'aime Élisabeth et j'envisage notre union avec joie. Fixons donc la date. Dans la vie ou dans la mort, je me consacrerai au bonheur de ma cousine.

— Ne parle pas de la sorte. Nous avons déjà dû affronter de grands malheurs, mais nous devons reporter vers ceux qui nous restent l'amour que nous avions pour ceux que nous avons perdus. Et quand le temps aura adouci notre peine, naîtront ceux qui remplaceront tous ceux dont nous avons été si cruellement privés.

Tels étaient les conseils de mon père. Mais le souvenir de la menace me hantait toujours et le monstre avait manifesté une telle puissance à travers ses actes que je me prenais à le croire invincible. Quand il avait dit : « Tu me trouveras la nuit de tes noces », j'y avais vu un avertissement à l'issue inévitable. Je préférais mourir plutôt que de perdre Élisabeth. Aussi, ce fut presque joyeusement que je décidai avec mon père, sous réserve du consentement de ma cousine, que la cérémonie aurait lieu dans dix jours. Ainsi, j'imaginais fixer l'heure de ma mort.

Grand Dieu ! Si j'avais pu, un seul instant, deviner les intentions diaboliques de mon implacable ennemi, je me serais plutôt exilé à jamais pour errer comme un paria à travers le monde, au lieu de consentir à ce mariage ! Mais le monstre m'avait dissimulé ses véritables intentions, et alors que je pensais avoir préparé ma propre mort, je précipitais celle d'un être que j'aimais.

Comme la date du mariage approchait, par lâcheté ou par pressentiment, je sentais fléchir mon courage. Mais je cachais mes états d'âme en me montrant joyeux, ce qui leurrait mon père, mais pas Élisabeth.

Les préparatifs allaient bon train. Nous recevions des visites de félicitations et, dans l'allégresse générale, je dissimulais autant que je le pouvais mon anxiété en faisant mine de m'intéresser aux plans de mon père. Grâce à ses démarches, il avait pu obtenir du gouvernement autrichien qu'une partie du patrimoine d'Élisabeth lui soit restituée. Elle possédait une petite maison en bordure du lac de Côme et il avait été décidé qu'aussitôt après notre mariage nous partirions pour la villa Lavenza et que nous y passerions nos premiers jours de bonheur.

J'avais pris toutes mes précautions pour me défendre au cas où le monstre s'attaquerait ouvertement à moi. Je portais sur moi des pistolets et un poignard et restais toujours sur mes gardes. À mesure qu'approchait le jour de la cérémonie, la menace du monstre s'estompait. Élisabeth semblait heureuse. Ma sérénité contribuait largement à assurer la sienne. Mais le jour où nos vœux allaient enfin s'accomplir, elle devint mélancolique. Peut-être pensait-elle au formidable secret que j'avais promis de lui révéler, le jour après notre mariage. Dans le même temps, mon père rayonnait de joie et ne voyait dans la mélancolie de sa nièce qu'un signe de timidité.

Après la cérémonie, de nombreux invités se réunirent dans la maison de mon père. Il avait été convenu qu'Élisabeth et moi commencerions notre voyage par bateau sur la rive sud du lac et qu'après avoir dormi à Évian nous le poursuivrions le lendemain. La journée était belle, le vent favorable, tout souriait à notre voyage de noces.

Ce furent les derniers moments heureux de ma vie. Nous voguions à bonne allure. Un dais nous protégeait du soleil. Je pris Élisabeth par la main.

— Tu es triste, mon amour. Ah ! Si tu savais ce que j'ai souffert, et ce que je vais peut-être encore souffrir, tu m'aiderais à savourer cette journée de joie.

— Sois donc heureux, mon cher Victor, me répondit-elle. Il n'y a ici, je pense, rien qui puisse te perturber. La joie ne se lit pas sur mon visage, mais elle est dans mon cœur. J'ai comme un lointain pressentiment mais je ne veux y donner prise. Quel jour divin ! La nature tout entière semble heureuse et sereine.

Élisabeth essayait ainsi de chasser de ses pensées et des miennes toute mélancolie, mais si à certains moments la joie brillait dans ses yeux, à d'autres elle se laissait aller à la rêverie.

Le soleil descendait à l'horizon. Nous avions passé la Drance et nous observions ses méandres à travers les ravins et les collines. Le clocher d'Évian brillait au-dessus des bois qui entourent la ville au pied des montagnes. Le vent, qui jusqu'alors nous avait poussé avec une rapidité étonnante, se transforma en une légère brise qui ridait à peine l'eau et agitait faiblement le feuillage des arbres. Nous étions près du rivage, d'où nous parvenaient des senteurs de fleurs et de foin. Le soleil disparut comme nous débarquions et resurgirent en moi mes effrois et mes tourments.

Chapitre 23

Il était huit heures quand nous descendîmes du bateau. Nous fîmes une courte promenade sur la berge pour jouir du soleil couchant, puis nous nous retirâmes dans l'auberge. De là nous contemplâmes encore le paysage, eaux, bois et montagnes obscurcis par la nuit, mais dont les contours noirs restaient visibles.

Le vent, qui s'était calmé au sud, soufflait maintenant de l'ouest avec violence. La lune commençait à descendre. Elle était de loin en loin cachée par les nuages qui passaient devant elle, plus rapides qu'un vol de vautour. Le lac, dont les vagues commençaient à surgir, reflétait le ciel tourmenté. Soudain une pluie violente se mit à tomber.

Toute la journée j'étais resté calme, mais, avec la nuit, j'avais peur. J'étais à la fois anxieux et sur mes gardes, serrant de la main droite un pistolet dissimulé sur ma poitrine. Chaque bruit me faisait sursauter, mais j'étais décidé à défendre chèrement ma vie et à poursuivre le combat jusqu'à la mort, celle de mon adversaire ou la mienne.

Élisabeth était témoin de mon agitation, timide et silencieuse. Mais un éclat dans mon regard dut l'alerter, car elle me dit en tremblant :

— Pourquoi es-tu aussi agité, Victor, de quoi as-tu peur ?

— Sois en paix, mon amour, répondis-je. Cette nuit seulement et tout ira bien ; mais cette nuit va être cauchemardesque, vraiment cauchemardesque !

Au bout d'une heure en cet état, je réalisai combien le combat que j'étais sur le point d'engager serait insupportable à mon épouse, et je l'invitai énergiquement à se retirer, prêt à la rejoindre quand je saurais la situation de mon ennemi.

Elle me laissa donc, et je continuai pendant un certain temps à passer dans les couloirs de l'auberge, inspectant chaque recoin où mon adversaire aurait pu se cacher. Je ne découvris aucune trace de lui et commençai déjà à supposer que par un accident chanceux il n'avait pas mis sa menace à exécution, lorsque j'entendis un cri perçant et terrible. Il venait de la chambre où Élisabeth s'était retirée. La vérité s'imposa à moi, mes muscles se tétanisèrent. Je sentis mon sang se glacer. Un autre cri jaillit et je me ruai vers la chambre.

Grand Dieu ! Pourquoi ne suis-je pas mort à cet instant ? Pourquoi suis-je ici à vous raconter comment fut anéantie ma belle espérance, et la plus pure des créatures humaines ? Elle gisait, inerte, en travers du lit, la tête pendante, les traits livides, contractés, à moitié cachés par sa chevelure. Je ne cesse de la revoir, les bras ballants, étendue sur le lit nuptial, telle que le meurtrier l'avait laissée. J'ai survécu à cela ! La vie est obstinée, et s'agrippe à vous même quand vous voulez la fuir. Je perdis connaissance et m'écroulai sur le sol.

Lorsque je retrouvai mes esprits, les gens de l'auberge m'entouraient. Ils paraissaient terrorisés, mais cette terreur-là n'était rien comparée aux sentiments qui m'accablaient. Je m'écartai d'eux et gagnai la chambre où gisait le corps d'Élisabeth, mon amour, mon épouse, si vivante, si douce, si belle, il y avait quelques minutes à peine. On avait changé sa position. À présent, elle avait la tête appuyée sur un bras, le visage et le cou couverts d'un mouchoir. Elle semblait dormir. Je me ruai sur elle et l'enlaçai avec ardeur, mais l'abandon et le froid de sa chair me disaient que ce n'était plus, entre mes bras, cette Élisabeth que j'avais tant aimée. Son cou portait la trace des doigts du criminel et aucun souffle ne s'échappait de ses lèvres.

Tandis que je me tenais penché sur elle, désespéré, je levai les yeux. À travers les fenêtres de la chambre, la lueur jaune et pâle de la lune éclairait la pièce. Les volets n'étaient pas mis. Avec une horreur indescriptible, je vis à travers la fenêtre ouverte la plus hideuse, la plus abominable des figures. Une grimace tordait les traits du monstre. Il semblait se moquer et, d'un doigt horrible, me désignait le corps de mon épouse. Je me précipitai vers la fenêtre, tirai mon pistolet et fis feu.

Mais il esquiva et s'élança, à la vitesse de l'éclair, pour plonger dans le lac.

Le coup de feu attira les gens dans la chambre. Je montrai l'endroit où le monstre avait disparu et nous suivîmes ses traces en bateau. On jeta des filets, mais en vain. Au bout de plusieurs heures, nous rentrâmes bredouilles. Quelques-uns de ceux qui m'accompagnaient étaient d'avis que le monstre n'avait jamais existé ailleurs que dans mon imagination. D'autres entreprirent des recherches dans plusieurs directions, vers les bois et les vignobles.

Je me joignis à eux, mais après quelques pas ma tête se mit à tourner, je titubai comme un homme ivre et tombai, épuisé. Ma vue était troublée et je brûlai de fièvre. À peine conscient de ce qui m'arrivait, je fus ramené et posé sur un lit. Au bout d'un moment, je me levai et, comme par instinct, me traînai vers la chambre où reposait le corps de mon amour. Des femmes pleuraient autour d'elle. Je me penchai sur Élisabeth et me mis à pleurer moi aussi. J'errai perdu dans un nuage d'étonnement et d'horreur. La mort de William, l'exécution de Justine, le meurtre de Clerval, l'assassinat de mon épouse ! Je ne savais pas non plus si mon père et mon frère étaient à l'abri des manigances du démon. Mon père était peut-être en train de se battre avec lui et Ernest gisait mort à ses pieds. Cette pensée me fit frissonner et me sortit de ma torpeur. Je décidai de regagner Genève le plus rapidement possible.

Il n'y avait pas de chevaux disponibles et je dus repartir par le lac. Mais le vent n'était pas favorable et il pleuvait à verse. Toutefois, le jour se levait et je pouvais raisonnablement espérer arriver avant la nuit. Je pris avec moi des rameurs et me mis également à la tâche, car j'avais toujours constaté que l'exercice physique soulageait mes tourments. Mais mon désespoir était tel que je n'avais plus aucune force. Je lâchai les rames et, la tête entre les mains, je m'abandonnai à la détresse. Si je levais les yeux, je voyais ces paysages que j'avais contemplés, la veille encore, avec celle qui n'était plus qu'une ombre, un souvenir. Des larmes jaillirent de mes yeux. Un démon m'avait ravi tout espoir d'un bonheur futur ! J'étais le plus malheureux des hommes.

J'arrivai à Genève. Mon père et Ernest étaient vivants, mais mon père s'effondra lorsqu'il apprit la nouvelle. Ses yeux erraient dans le vague, il avait perdu celle qui faisait ses délices – son Élisabeth qui était plus que sa fille, à laquelle il avait donné toute son affection. Maudit, maudit soit le monstre qui a infligé le malheur à cet homme vénérable et qui l'a condamné à mourir de chagrin ! Mon père ne pouvait plus survivre à toutes les horreurs qui s'étaient accumulées sur lui. Sa vitalité s'évanouit soudain et il fut incapable de se lever de son lit. Quelques jours plus tard, il mourait dans mes bras.

Qu'advint-il alors de moi ? Je ne sais pas. J'allais perdu dans mes ténèbres. Parfois je rêvais que je me promenais au milieu des vallons et des prairies avec mes amis d'enfance, puis je me réveillais et me retrouvais dans une geôle. J'étais frappé d'hébétude. Par la suite, je repris progressivement conscience de mon malheur et de ma situation. Je fus relâché. On m'avait cru fou et, durant plusieurs mois, selon ce que j'ai pu apprendre depuis, une cellule solitaire avait été mon seul logement.

La liberté pourtant m'aurait été inutile si ne m'était revenu progressivement, avec la raison, le désir de vengeance. En même temps que je subissais le souvenir de mes malheurs, je m'interrogeais sur leurs causes, sur le monstre que j'avais créé, l'abominable démon que j'avais lâché sur le monde pour me détruire. Une rage folle s'emparait alors de moi, je désirais ardemment qu'il tombe entre mes mains pour que j'assouvisse ma vengeance sur sa tête maudite.

Ma haine ne se limita pas à des souhaits inutiles. Je me mis également à réfléchir aux moyens les plus efficaces pour arriver à mes fins. Un mois environ après ma libération, je me rendis auprès d'un magistrat de la ville qui s'occupait des affaires criminelles et lui dis que j'avais une accusation à porter, que je connaissais l'assassin de ma famille et que je voulais qu'il mette la main sur le coupable. Le magistrat m'écouta avec courtoisie.

— Soyez assuré, monsieur, dit-il, que tout sera fait pour retrouver ce scélérat.

— Je vous remercie. Mais écoutez ma déposition. C'est un récit si étrange que vous pourriez le trouver incroyable, sans un fait, apparemment extraordinaire, qui devrait entraîner votre conviction. Mon histoire, trop logique, ne peut être confondue avec un rêve et je n'ai aucune raison de vous mentir.

Je me montrais pressant mais calme. J'avais décidé de poursuivre mon destructeur jusque dans la mort et cette décision avait quelque peu adouci ma détresse et m'avait momentanément réconcilié avec la vie. Je rapportai donc brièvement mon histoire, en donnant les dates de chaque événement, sans jamais me laisser aller à l'invective ni à la colère. D'abord, le magistrat parut incrédule mais, comme je continuais, il devint plus attentif et plus intéressé. Je le voyais souvent frissonner d'horreur. Parfois, une vive surprise, dépourvue de scepticisme, se peignait sur son visage. Je terminai mon récit en disant :

— Telle est la créature que j'accuse et que je vous demande de faire arrêter et de punir.

Il m'avait écouté avec cette attention qu'on accorde aux récits de fantômes et aux événements surnaturels. Mais, quand je l'eus pressé d'agir officiellement, son incrédulité reprit le dessus. Il me répondit toutefois avec douceur :

— Je voudrais volontiers vous aider dans cette tâche, mais la créature dont vous m'avez parlé semble posséder une force surhumaine. Qui serait capable de suivre un animal qui peut traverser une mer de glace et se réfugier dans des grottes et des trous où aucun être humain n'ose s'aventurer ? De plus, plusieurs mois se sont écoulés depuis qu'elle a commis ses crimes et personne ne peut dire aujourd'hui dans quelle région elle se terre désormais.

— Je sais qu'elle se cache quelque part près de l'endroit où je réside et, si elle a effectivement trouvé refuge dans les Alpes, on peut la traquer comme un chamois et l'abattre comme une bête. Mais je devine vos sentiments. Vous n'accordez aucun crédit à mon histoire.

Mon regard devait briller de colère. Le magistrat en fut troublé.

— Vous vous méprenez, dit-il. Je vais agir et, s'il est en mon pouvoir de capturer le monstre, soyez assuré qu'il sera puni de ses crimes. Mais j'ai peur, d'après ce que vous m'avez dit vous-même de sa puissance, que ce ne soit pas possible. Aussi, tout en vous promettant de prendre toutes les mesures qui s'imposent, je pense que vous devez vous attendre à un échec.

— Ce n'est pas supportable, mais tout ce que je pourrais vous dire ne servira à rien. Ma soif de vengeance ne vous concerne pas. Bien que ce soit là un vice, je vous avoue qu'elle est devenue ma seule passion. Puisque vous refusez ce que je vous demande, je vais moi-même, au péril de ma vie, détruire ce monstre !

Je tremblais de violence contenue. Mais pour un magistrat de Genève dont l'esprit était accaparé par d'autres idéaux que le dévouement et l'héroïsme, cette noblesse d'âme ressemblait à de la folie. Il s'efforça de me calmer, comme on raisonne un enfant, et insinua que mon histoire était née de mon délire.

Je le quittai furieux et me retirai aussitôt chez moi pour réfléchir à un autre moyen d'action.

Chapitre 24

Je n'avais plus qu'une obsession, rien d'autre n'existait pour moi, seule la vengeance me donnait la force de vivre. Ma première décision fut de quitter Genève à jamais. Le pays où j'avais été si heureux m'était devenu détestable. Je pris avec moi un peu d'argent ainsi que des bijoux qui avaient appartenu à ma mère et je partis.

Et ainsi débutèrent ces pérégrinations qui ne cesseront qu'avec ma mort. J'ai traversé une grande partie de la terre et j'ai vécu toutes les aventures que vivent les voyageurs dans les déserts et les contrées barbares. Je ne sais comment j'ai survécu à tout cela. Souvent je me suis couché sur le sable, épuisé, en appelant la mort. Mais la soif de vengeance me maintenait en vie et je ne voulais pas mourir en laissant derrière moi mon adversaire !

Quand je quittai Genève, mon premier soin fut de retrouver les traces de mon diabolique ennemi. Mais je n'avais aucun plan précis et j'errais de nombreuses heures autour de la ville, ne sachant trop où me diriger. Comme la nuit approchait, je me retrouvai à l'entrée du cimetière où reposaient William, Élisabeth et mon père. J'y pénétrai et m'approchai de leur tombe. Tout était silencieux, le vent passait doucement dans les arbres. La nuit était sombre et solennelle. Il me semblait que les esprits des défunts flottaient autour de moi et projetaient sur ma tête une ombre que je sentais mais ne voyais pas.

La profonde tristesse de cette scène eut d'abord pour effet de raviver ma rage et mon désespoir. Ils étaient morts, et moi je vivais ! Leur assassin aussi était en vie. Je m'agenouillai dans l'herbe, baisai la terre et m'écriai, les lèvres tremblantes :

— Par cette terre sacrée sur laquelle je m'agenouille, par les ombres qui m'entourent, par le profond et infini chagrin qui me dévore, par toi également, ô Nuit, et par les esprits qui règnent sur toi, je fais le serment de poursuivre le démon cause de ma souffrance, même si dans ce combat je dois périr ! C'est pour cela que je veux vivre encore. Pour exécuter cette chère vengeance, je contemplerai le soleil et foulerai l'herbe verte de la terre qui, autrement, disparaîtrait à jamais de ma vue. Et j'en appelle à vous aussi, esprits des morts, et à toi, souffle errant de la vengeance, pour m'aider et me guider dans cette mission ! Puisse le monstre sinistre et diabolique connaître l'agonie la plus abjecte ! Puisse-t-il, lui aussi, éprouver ce désespoir qui aujourd'hui me tourmente !

J'avais entamé ma conjuration avec solennité mais, au fur et à mesure que je parlais, ma fureur reprenait le dessus. Soudain, dans le silence de la nuit, éclata un énorme rire diabolique qui résonna longuement, douloureusement à mes oreilles. Les montagnes en répercutèrent l'écho. Le rire mourut et une voix grinçante, familière, détestable, s'éleva, toute proche :

— Je suis satisfait, misérable ! Tu as décidé de vivre et je suis satisfait !

Je bondis vers l'endroit d'où avait surgi la voix, mais le démon avait disparu. Soudain, la lune qui s'était levée éclaira la silhouette difforme et monstrueuse qui fuyait avec une incroyable vitesse. Je me mis en chasse, et depuis des mois et des mois, cette tâche me prend tout entier. J'ai suivi le Rhône, mais en vain. Arrivé aux eaux bleues de la Méditerranée, par un hasard étrange, j'ai vu une nuit le monstre s'embarquer sur un navire qui partait pour la mer Noire. Je pris ce même navire, mais il m'échappa, je ne sais pas comment.

À travers les steppes, j'ai continué à suivre ses traces. Parfois, des paysans, terrifiés par son horrible apparition, m'indiquaient la route. Parfois, c'était le monstre lui-même qui laissait des traces derrière lui, de peur que je n'arrête mes poursuites ou que je ne décide, dans mon désespoir, de mourir. Lorsque les neiges tombèrent, je pus voir sur les plaines blanches les empreintes de ses pas. Comment vous faire comprendre ce que j'ai éprouvé et ce que j'éprouve encore ? Le froid, la faim, la fatigue ont été les moindres de mes maux ! De temps à autre, quand j'étais rongé par la faim, quand les forces me manquaient, je trouvais de quoi manger dans un lieu désert et cela me ravigotait. C'étaient souvent des aliments grossiers, comme ceux que mangeaient les paysans de la région, mais je ne doutais pas que ces vivres aient été déposés là par les esprits dont j'avais imploré le soutien. Et souvent aussi, quand régnait la sécheresse et que j'avais terriblement soif, des nuages venaient obscurcir le ciel, et la pluie qui tombait alors me permettait d'étancher ma soif.

Je suivais, dans la mesure du possible, les cours d'eau, mais le monstre les évitait, car c'était là que les populations étaient les plus nombreuses. Là où il y avait peu de gens, je devais me nourrir de la chair des animaux sauvages que je rencontrais sur ma route. J'avais de l'argent et, en le distribuant, je gagnais la confiance des villageois, ou encore je leur offrais l'animal que j'avais tué après en avoir prélevé un petit morceau pour moi, en échange d'un feu et de quelques ustensiles de cuisson.

Ce n'est que dans le sommeil que je goûtais un peu de joie et de repos. Je revoyais mes amis, mon épouse, mon pays tant aimé. Je revoyais le doux visage de mon père, j'entendais la voix limpide d'Élisabeth, je retrouvais Clerval resplendissant de jeunesse et de santé. Ils me hantaient même pendant mes heures de veille et je finissais par croire qu'ils vivaient encore !

De temps à autre, le monstre laissait des inscriptions sur des écorces d'arbre ou sur des rochers. Elles me guidaient et ravivaient ma fureur. « Mon règne n'est pas encore achevé, disait ainsi l'un de ses messages, tu vis, mais ma puissance est absolue. Suis-moi. Je me dirige vers les glaces éternelles du pôle Nord, où tu subiras les contraintes du froid et du gel auxquelles moi je suis insensible. Tu trouveras tout près d'ici un lièvre mort. Mange-le et reprends des forces. En avant, mon ennemi ! Nous devons encore vivre, et avant que n'arrive le jour de notre confrontation, tu dois encore endurer de nombreuses heures de souffrance et de misère. »

Ignoble démon ! De nouveau, je jurai de me venger, de le torturer jusqu'à ce que mort s'ensuive. Tandis que je montais derrière lui vers le nord, il neigeait de plus en plus et le froid augmentait tant qu'il devenait presque impossible à supporter. Les paysans ne bougeaient plus de leurs huttes. Seuls quelques-uns d'entre eux, les plus vigoureux, s'aventuraient encore à l'extérieur pour capturer des animaux qui sortaient de leur trou. Les rivières étaient recouvertes de glace, ce qui rendait la pêche impossible. J'étais ainsi privé de mon principal moyen de subsistance.

Le triomphe de mon ennemi s'affirmait au fur et à mesure que se multipliaient mes propres difficultés. Une de ses inscriptions était rédigée ainsi : « Prépare-toi. Tes souffrances ne font que commencer. Mets une fourrure sur toi et fais provision de nourriture, car nous allons bientôt entreprendre un voyage qui va, pour mon plus grand plaisir, accroître encore tes souffrances. »

Ces mots railleurs ranimaient mon courage et ma persévérance. En priant le ciel de m'aider, je continuai avec détermination à traverser des déserts immenses jusqu'à ce qu'au loin m'apparût l'océan, formant une ultime barrière à l'horizon. Couvert de glace, il ne se distinguait de la terre que par son aspect encore plus sauvage.

Je m'agenouillai, le cœur palpitant, et remerciai l'esprit qui m'avait guidé et qui m'avait conduit jusqu'ici sain et sauf. J'allais y rencontrer mon adversaire et me mesurer à lui, en dépit de tous ses sarcasmes. Quelques semaines auparavant, je m'étais procuré un traîneau et des chiens, ce qui m'avait permis de traverser les neiges à grande vitesse. Je ne savais pas si le monstre disposait des mêmes avantages, mais je constatai qu'au lieu de perdre chaque jour du terrain sur lui, j'en gagnais et qu'ainsi, au moment où je me trouvais en vue de l'océan, il n'avait plus qu'une seule journée d'avance sur moi. J'espérais donc le rattraper avant qu'il n'en atteigne le rivage. Deux jours plus tard, j'arrivai à un misérable hameau situé sur la côte.

Les habitants me donnèrent des renseignements précis sur le monstre. Ils me dirent qu'en effet une gigantesque créature avait surgi la nuit précédente. Armé d'un fusil et de plusieurs pistolets, il avait provoqué la panique et fait fuir les occupants d'une hutte isolée. Il leur avait volé leurs provisions pour l'hiver et les avait mises sur un traîneau auquel il avait attelé de nombreux chiens. Puis, le soir même, au grand soulagement des villageois effrayés, il avait poursuivi sa course dans une direction où il n'y avait aucune terre. On supposait qu'il allait périr rapidement, emporté par la glace ou englouti au milieu des banquises.

En apprenant cela, j'eus un moment d'immense déception. Il m'avait échappé et j'allais devoir entreprendre une longue et périlleuse randonnée vers les icebergs, affrontant un froid que même les indigènes ne supportaient que très mal et qui pour moi, originaire d'un pays au climat tempéré, risquait d'être fatal. Mais, à l'idée que le démon vivrait et triompherait, ma soif de vengeance reprit le dessus. Après un court repos pendant lequel les esprits des défunts m'apparurent et m'incitèrent à mener ma tâche jusqu'au bout, je me préparai à repartir.

J'échangeai mon traîneau contre un autre mieux adapté au terrain polaire et, après avoir réuni une grande quantité de provisions, je quittai le pays. J'ignore combien de jours se sont écoulés depuis, mais j'ai enduré des tourments que je n'aurais pas été capable de surmonter si je n'avais pas eu en moi le sentiment que ma cause était juste. Souvent, d'immenses et d'imposantes montagnes de glace me barraient le passage et je pouvais entendre le grondement des eaux souterraines qui menaçaient de m'engloutir. Puis, de nouveau, le gel s'intensifiait et ma route redevenait plus sûre.

Aux provisions que j'avais consommées, je m'aperçus que mon voyage durait déjà depuis trois semaines. Il m'arrivait de pleurer de découragement. Un jour, après que les pauvres bêtes qui me traînaient au prix de grands efforts étaient parvenues au sommet d'un iceberg, l'une d'elles mourut d'épuisement, et je me mis à contempler avec angoisse le site qui s'étendait devant moi.

Soudain, je repérai un point sombre au sein de l'immensité. Je poussai un cri de joie lorsque je me rendis compte qu'il s'agissait d'un traîneau d'où se détachait une silhouette gigantesque qui m'était familière. J'en pleurai d'émotion. Ce n'était pas le moment de perdre du temps. Je me débarrassai du chien mort et je nourris abondamment les autres. Puis, après une heure de repos absolument nécessaire, je repris ma route. Le traîneau était encore visible et je ne le perdais pas de vue, sauf quand il passait derrière des amas de glace. Je réussissais même à réduire la distance entre nous et, au bout de deux jours, il n'était plus qu'à un mile de moi. J'en avais le cœur battant.

Tout à coup, alors que j'allais enfin pouvoir me mesurer avec le monstre, mes espoirs furent anéantis : sa trace m'avait échappé. Je perçus un bruit de tonnerre, le vent se leva et les eaux souterraines se mirent à gronder de façon de plus en plus terrifiante. J'allai plus vite, mais en vain.

La mer rugissait et, avec des secousses de tremblement de terre, la glace se rompit et craqua dans un tumulte formidable. Ce fut très rapide : en quelques minutes une mer bouillonnante avait surgi entre mon ennemi et moi et déjà je dérivais sur un bloc de glace qui fondait ; je me préparai à la mort la plus affreuse.

De terribles heures se passèrent ainsi. Mes chiens moururent et j'allais moi-même succomber, lorsque j'ai aperçu votre navire tirant son ancre. Je ne savais pas que des bateaux s'aventuraient si loin vers le nord et la chose me stupéfia. Je détruisis une partie de mon traîneau pour me fabriquer des rames et je parvins ainsi, malgré mon extrême faiblesse, à approcher mon radeau de glace de votre navire. J'étais décidé, au cas où vous comptiez aller vers le sud, m'en remettre à la merci de la mer plutôt que d'abandonner ma tâche. J'espérais même vous demander un canot afin de poursuivre le monstre. Mais vous vous dirigiez vers le nord. Je n'avais plus de force quand vous m'avez pris à bord de votre navire, où j'aurais pu rapidement sombrer dans une mort que je redoute encore, car je n'ai toujours pas accompli ma mission.

Quand les esprits qui me guident et qui m'ont conduit vers le monstre m'accorderont-ils enfin le repos auquel j'aspire ? Dois-je mourir alors que lui est encore en vie ? S'il en est ainsi, jurez-moi, Walton, qu'il ne s'échappera pas et que vous le poursuivrez afin que sa mort soit ma vengeance. Mais oserais-je vous demander d'endurer tous ces tourments que j'ai subis ? Non, ce n'est pas de l'égoïsme. Mais quand je serai mort, s'il devait vous apparaître, si les esprits de la vengeance devaient le mener jusqu'à vous, jurez-moi qu'il ne survivra pas, jurez-moi qu'il ne triomphera pas de mes malheurs et qu'il ne pourra plus avoir la possibilité d'augmenter encore la liste de ses crimes immondes ! Il peut être persuasif et a déjà réussi, par ses paroles, à me circonvenir. Ne vous fiez pas à lui ! Il est diabolique, plein de méchanceté et de ruses abjectes. Ne l'écoutez pas ! Rappelez-vous ces noms : William, Justine, Clerval, Élisabeth, mon père, et celui du malheureux Victor, et enfoncez-lui votre épée dans le cœur ! Je serai près de vous et je guiderai votre arme !

SUITE DU RÉCIT DE WALTON

Le 26 août 17..

Tu viens de lire cette étrange et terrifiante histoire, Margaret, à t'en glacer le sang d'horreur. Parfois, saisi de douleur, Frankenstein était incapable de continuer. A d'autres moments, sa voix, déjà hésitante, se brisait et ce n'était qu'avec peine qu'il pouvait parler. Ses yeux brillaient tantôt d'indignation, tantôt se teintaient de tristesse et d'amertume. Mais il lui arrivait aussi de se maîtriser et de relater les événements les plus horribles d'une voix calme, sans le moindre signe d'énervement. Puis, comme un volcan qui entre en éruption, son visage changeait tout à coup d'expression et, avec une fureur sauvage, il lançait des imprécations contre son ennemi.

Son histoire est logique et, selon toute apparence, authentique. Mais je t'avoue que les lettres de Félix et de Safie qui m'ont été montrées et l'apparition du monstre à proximité de notre navire m'ont beaucoup plus convaincu que les protestations du malheureux, aussi énergiques et cohérentes qu'elles aient été. Assurément, ce monstre existe ! J'en suis même admiratif. À plusieurs reprises, j'ai cherché à savoir comment Frankenstein avait pu le créer, mais sur ce point il a été impénétrable.

— Êtes-vous fou, mon ami ? Mesurez-vous les conséquences d'une curiosité déraisonnable ? Voudriez-vous également créer un être qui serait votre ennemi le plus démoniaque ? Laissez, laissez cela ! Tirez une leçon de mes malheurs et faites en sorte de ne pas en attirer sur vous !

Frankenstein s'était rendu compte que, tout en suivant son histoire, je prenais des notes. Il me demanda de les lui montrer. Il corrigea et développa lui-même de nombreux passages, surtout pour donner plus de vie et d'esprit aux conversations qu'il avait eues avec le monstre.

— Puisque vous avez consigné mon histoire, dit-il, je préfère qu'elle ne passe pas à la postérité sous une forme mutilée et incomplète.

Pendant une semaine, j'écoutai ainsi son étrange récit. J'aimerais l'aider, mais comment demander à un homme aussi malheureux, aussi privé de toute consolation, de continuer à vivre ? La seule joie qu'il pourra connaître encore, c'est celle que lui procurera la paix au moment de mourir. Pour l'heure, c'est dans la solitude et le délire qu'il trouve un peu d'apaisement. Lorsqu'il rêve, il croit parler avec ses amis. Pour lui, ce ne sont pas des élucubrations : il est persuadé que les siens, venus d'un autre monde, conversent avec lui.

Nos discussions ne portent pas toutes sur ses malheurs. Dans le domaine littéraire, ses connaissances sont vastes et il a l'esprit vif et lucide. Son éloquence est aussi persuasive que touchante. Au demeurant, il a l'air d'être aussi conscient de sa valeur que de l'étendue de sa déchéance.

— Quand j'étais plus jeune, me dit-il, je me croyais destiné à entreprendre de grandes tâches. Ce sentiment de ma valeur personnelle m'a soutenu dans des circonstances où d'autres se seraient laissé abattre, car je trouve qu'il est criminel de gaspiller en chagrin des talents qui peuvent être utiles à ses semblables. Quand je songeais à l'œuvre que j'avais accomplie, la création d'un animal sensible et doué de raison, je ne pouvais pas me comparer à de vulgaires inventeurs. Mais cette idée qui m'a exalté au commencement de ma carrière ne me plonge aujourd'hui que dans l'avilissement. Toutes mes spéculations, tous mes espoirs ne sont plus rien et, comme l'archange qui aspirait à la toute-puissance, j'ai été précipité en enfer. Si vous m'aviez connu dans ma jeunesse, vous ne me reconnaîtriez plus aujourd'hui, tant ma déchéance est profonde !

Dois-je donc perdre cet être admirable ? J'ai longtemps cherché un ami avec lequel je pourrais sympathiser. Et voilà que je le trouve sur ces mers désertes, mais j'ai bien peur de ne l'avoir rencontré que pour le perdre aussitôt. J'aurais voulu réconcilier Frankenstein avec la vie, mais il en repousse l'idée.

— Je vous remercie, Walton, me dit-il, pour vos aimables intentions à mon égard, mais quand vous me parlez de nouveaux liens et de nouvelles affections, croyez-vous qu'ils pourraient remplacer ceux que j'ai perdus ? Quel homme pourrait tenir près de moi la place de Clerval, quelle femme celle d'Élisabeth ? Où que je me trouve, j'entends la douce voix d'Élisabeth, les paroles de Clerval. Ils sont morts et c'est du fond de ma solitude que je dois me persuader de préserver encore ma vie. Si j'étais engagé dans une tâche qui serait considérablement utile à l'humanité, je vivrais pour la mener à bien. Mais mon destin n'est plus là. Je dois poursuivre et détruire le monstre que j'ai créé. Alors j'aurai rempli mon rôle terrestre et je pourrai mourir.

Le 2 septembre.

Ma sœur bien aimée,

Je t'écris alors que je suis en danger, sans savoir si je reverrai encore l'Angleterre et tous mes amis qui y demeurent. Je suis cerné de montagnes de glace qui ne me laissent aucune issue et menacent à tout instant notre navire. Les hommes courageux que j'ai persuadés de me suivre attendent que je les aide, mais je n'ai rien à leur donner, sauf de l'espoir. C'est affreux de penser que la vie de ces gens dépend de moi. Si nous devons périr, ce sera à cause de mes projets insensés.

Mais toi, Margaret, quels seront alors tes états d'âme ? Tu n'entendras pas parler de ma disparition et tu attendras avec anxiété mon retour. Les années se passeront, le chagrin te minera et pourtant tu garderas une étincelle de confiance au fond du cœur. Oh, ma sœur bien-aimée, cette perspective me paraît plus cruelle que ma propre mort ! Mais tu as un mari et des enfants. Tu peux être heureuse. Que le ciel te bénisse, toi et les tiens !

Mon malheureux hôte me regarde avec une tendre compassion. Il essaie de me redonner espoir et me parle comme si la vie était un bien qu'il estime encore. Il me rappelle que de tels accidents ne sont pas rares dans ces contrées et que des navigateurs y ont échappé. Malgré moi, ses promesses m'encouragent. Chacun des marins subit la persuasion de son éloquence. Lorsqu'il parle, les forces nous reviennent, au point que les immenses icebergs qui nous encerclent semblent à nos yeux des taupinières qui ne pourront pas résister devant le bon vouloir des hommes. Mais ces impressions-là sont passagères. Chaque jour de désillusion augmente la frayeur des marins, et j'en suis à craindre une mutinerie.

Le 5 septembre.

Il vient de se produire une scène extraordinaire et, bien qu'il soit peu probable que ces papiers vous parviennent, je ne peux pas m'empêcher de vous la rapporter.

Nous sommes toujours entourés par des icebergs, et le danger d'être écrasés sous leur pression est toujours aussi grand. Il fait un froid excessif. Dans ce paysage désolé, plusieurs de mes compagnons sont déjà morts. La santé de Frankenstein décline de jour en jour. La fièvre brille dans ses yeux. Il est épuisé. Dès qu'il doit fournir le moindre effort, il retombe ensuite dans l'apathie la plus complète.

J'ai mentionné dans ma dernière lettre que je craignais une mutinerie. Ce matin, comme je fixais le visage blême de mon ami, ses yeux à moitié clos et ses membres inertes, j'ai été surpris par une demi-douzaine de marins qui demandaient à être reçus dans ma cabine. Ils sont entrés et leur porte-parole m'a dit vouloir m'adresser une requête qu'en toute justice je ne pouvais pas refuser. Nous sommes encerclés par la glace et nous sommes sans doute dans l'impossibilité de jamais nous en dégager. Pourtant, si la glace devait se briser et nous offrir ainsi un passage, l'équipage, craignant que je n'aie l'audace de poursuivre mon voyage et que je ne l'expose ainsi à de nouveaux périls, me demande de prendre l'engagement formel de mettre aussitôt le cap vers le sud.

Ce discours me troubla. Je n'étais pas encore assez désespéré pour rebrousser chemin si la mer devenait libre. Mais avais-je le droit, en toute équité, de rejeter cette demande ? J'hésitais à répondre, lorsque Frankenstein, qui était resté silencieux et qui du reste semblait trop faible pour entendre quoi que ce soit, se redressa tout à coup. Ses yeux étincelaient et son visage avait repris vie. Il se tourna vers les hommes.

— Qu'exigez-vous de votre capitaine ? Allez-vous si facilement vous détourner de votre but ? Cette expédition est glorieuse parce que, contrairement à un périple dans les mers du Sud, elle comporte plein de dangers et parce que devant chaque nouvel obstacle il vous a fallu faire appel à votre courage et à votre ténacité, parce que le péril et la mort vous environnent, parce que vous avez une mission à accomplir ! Et maintenant que vous êtes confrontés à une première épreuve d'envergure, vous dont on allait faire des héros vous reculez comme des hommes incapables de supporter le froid et l'adversité. Si vous êtes frileux et si vous voulez rentrer vous chauffer près d'un feu, pourquoi avoir pris part à cette expédition ? Vous n'aviez pas besoin de quitter vos maisons et d'exposer, par lâcheté, votre capitaine à la défaite et à la honte ! Soyez des hommes, et même plus que des hommes ! Montrez-vous aussi fermes que le roc ! Cette glace n'est pas faite de la même matière que vos cœurs. Elle peut changer et ne pas résister devant votre détermination. Ne retournez pas dans vos familles avec, sur le front, les stigmates du déshonneur. Rentrez chez vous en héros qui ont lutté et ont triomphé, qui ne savent pas ce qu'est la fuite devant l'ennemi !

Il avait parlé d'une voix si grave, avec une intonation si bien adaptée à son discours que les marins, émus, se dévisagèrent, incapables de répondre. Je pris la parole. Je les priai de se retirer et de réfléchir à ce qui avait été dit. Je précisai que je ne les conduirais pas vers le nord, s'ils s'y opposaient. Ils sortirent. Je me tournai vers mon compagnon : il était retombé dans son apathie et semblait presque inanimé. J'ignore comment tout cela va se terminer, mais je sais que je préférerais mourir plutôt que de rentrer chez moi sans avoir mené ma tâche à bien Je crains néanmoins que ce ne soit là mon sort. Mes hommes ne rêvent pas de gloire et d'honneur et ils ne pourront pas supporter davantage les épreuves qui se présentent à nous.

Le 7 septembre.

Les dés en sont jetés. J'ai accepté de rebrousser chemin, à moins que les glaces ne nous détruisent avant ! Voilà comment, par la couardise et l'indécision de mon équipage, mes espoirs s'envolent. Je rentre déçu, sans avoir appris ce que je cherchais. Je n'ai pas assez de sagesse pour me résigner calmement à cette injustice.

Le 12 septembre.

C'est fini ! Je rentre en Angleterre. J'ai perdu mes espoirs d'être utile et illustre. J'ai perdu mon ami. Mais je vais essayer, ma chère sœur, de te rapporter les événements dans le détail.

Le 9 septembre, la glace s'est mise à bouger. Nous avons entendu au loin comme des coups de tonnerre, et les blocs de glace se brisaient, craquaient de toutes parts. L'état de santé de mon hôte avait tellement empiré qu'il ne pouvait plus quitter son lit. La glace se déchirait devant nous et nous dérivions rapidement vers le nord. Le vent soufflait de l'ouest, si bien que le onzième passage en direction du sud se trouva entièrement dégagé. Quand les marins s'en aperçurent et constatèrent que leur retour vers le pays natal était, selon toute apparence, assuré, ils poussèrent de vibrants hourras. Frankenstein se réveilla et s'enquit de la cause de tout ce vacarme.

— Ils crient, lui dis-je, parce qu'ils vont bientôt rentrer en Angleterre.

— Vous allez donc réellement rebrousser chemin ?

— Hélas, oui ! Je ne peux pas m'opposer à leur requête, je ne peux pas les exposer davantage aux dangers.

— Faites-le, si vous le voulez, mais moi je ne peux pas. Il vous est possible d'abandonner votre projet, mais le mien m'a été imposé par le ciel. Je ne désobéirai pas. Je suis à bout de forces, mais les esprits qui m'assistent me donneront sûrement encore un peu de vigueur.

Tout en prononçant ces mots, il essaya de sortir de son lit, mais cet effort lui coûta trop. Il retomba et s'évanouit.

Il lui fallut beaucoup de temps avant de se remettre, et plus d'une fois je crus qu'il avait bel et bien expiré. À la fin, il ouvrit les yeux. Il respirait avec peine et était incapable de parler. Le médecin lui donna un calmant et ordonna qu'on ne le dérange point. Il me fit savoir par la suite que mon ami n'avait plus que quelques heures à vivre. Je n'avais plus qu'à me morfondre et à attendre. Je m'assis sur son lit et l'examinai. Ses yeux étaient clos et je crus qu'il dormait.

Mais soudain il m'appela d'une voix faible et, me faisant signe d'approcher, il se mit à me parler :

— Mes forces m'abandonnent ! Je sens que je vais bientôt mourir, et lui, mon ennemi et mon persécuteur, va continuer de vivre. Ne croyez pas, Walton, que dans mes derniers moments j'éprouve encore de la haine. Mais je crois qu'il est juste que je souhaite la mort de mon adversaire. Durant ces derniers jours, j'ai fait mon examen de conscience. Je ne pense pas être blâmable. Dans un accès d'enthousiasme fou, j'ai créé un être doué de raison et j'aurais dû lui assurer, pour autant que la chose était possible, le bien-être et le bonheur. C'était là mon devoir, mais j'en avais un autre aussi, bien plus important, envers mes semblables ! Il dépendait de moi qu'ils soient heureux ou misérables ! Et c'est la raison pour laquelle j'ai refusé de doter le monstre d'une compagne. J'ai bien fait, je crois. Dans le mal, il a fait preuve d'une perversité exceptionnelle. C'est une créature abominable et il faut qu'elle meure pour que les autres vivent ! C'est moi qui devais accomplir cette mission mortelle, mais je n'ai pu le faire. Je vous ai demandé de la remplir à ma place. À présent, si je vous renouvelle ma demande, c'est au nom de la raison et de la vertu.

« Mais je ne peux exiger de vous que vous renonciez pour autant à votre patrie et à vos amis. Puisque vous rentrez en Angleterre, vous n'aurez désormais plus guère de chance de croiser le monstre. Mais je vous laisse décider ce que vous estimez devoir faire, d'autant que ma lucidité est déjà perturbée par l'approche de la mort. Je n'ose pas vous presser d'agir, car je suis peut-être encore sous le coup de la passion.

« Je supporte toutefois très mal l'idée qu'il vit toujours et qu'il pourrait être l'auteur de nombreux autres crimes. Il reste qu'en ce moment même, pour la première fois depuis des années, je suis heureux, heureux parce que je vais mourir. Déjà les silhouettes des êtres que j'ai aimés sont proches et j'ai hâte de leur tendre les bras. Adieu, Walton ! Cherchez le bonheur dans le calme et évitez l'ambition. J'ai pour ma part échoué dans mes travaux, mais un autre pourrait réussir.

Sa voix faiblissait au fur et à mesure qu'il parlait. Finalement, épuisé par l'effort, il sombra dans le silence.

Une demi-heure plus tard, il tenta de nouveau de m'adresser la parole, mais en vain. Il me serra doucement la main et ses yeux se fermèrent pour toujours, tandis qu'un tendre sourire se figeait sur ses lèvres.

Margaret, comment traduire la profondeur de mon chagrin ? Je pleure, ma détresse est profonde, mais je vogue vers l'Angleterre et peut-être vais-je y trouver une consolation.

Je suis interrompu. Que signifie ce tapage ? Il est minuit, le vent souffle convenablement et l'homme de quart, sur le pont, ne remue guère. Mais voilà un nouveau bruit. On dirait la voix d'un homme, une voix très rauque, désagréable. Cela provient de la cabine où repose le corps de Frankenstein. Je dois me lever et aller voir. Bonne nuit, ma sœur.

Grand Dieu ! Quelle scène ! Je ne peux pas me la rappeler sans frémir. Je me demande même si je serai capable de vous la narrer dans le détail. Et pourtant l'histoire que je vous ai racontée serait incomplète sans cette stupéfiante catastrophe finale. Je pénétrai donc dans la cabine où se trouvait la dépouille de mon ami. Sur elle était penchée une silhouette difforme et de taille gigantesque. Telle qu'elle se tenait, elle avait le visage caché par de longues mèches de cheveux. Elle tendait une main énorme dont la couleur et la texture évoquaient celles d'une momie. Quand elle entendit que je m'approchais, elle cessa ses plaintes horribles et douloureuses et fit un pas en direction de la fenêtre. Jamais je n'ai vu tant d'épouvante sur un visage d'une laideur aussi monstrueuse. Malgré moi, je fermai les yeux et je songeai à ce que j'avais promis de faire en présence de ce tueur. Je lui ordonnai de ne pas bouger. Il se figea, me considéra avec étonnement, regarda de nouveau la dépouille de son créateur et parut oublier que je me trouvais là. Sa posture, ses gestes, tout chez lui accusait la rage la plus sauvage et la passion la plus incontrôlable.

— C'est aussi ma victime ! s'écria-t-il. Avec cette mort s'achèvent mes crimes et prennent fin mes tourments ! Oh, Frankenstein ! Créature généreuse et admirable, à quoi bon à présent te demander pardon ? Je t'ai tué après avoir tué tous ceux que tu aimais ! Mais il est déjà froid, et ne peut pas me répondre !

Il haletait. Ma première impulsion fut d'accomplir mon devoir et d'obéir à l'ultime requête de Frankenstein en supprimant son ennemi. Mais un mélange de curiosité et de compassion me retenait. Je m'approchai de l'incroyable créature, sans oser de nouveau lever les yeux sur elle, tant sa laideur était inhumaine et repoussante. J'essayai de lui parler, mais aucun mot ne jaillit de mes lèvres. Le monstre continuait à s'adresser des reproches douloureux et incohérents. À la fin, comme il se calmait un peu, je réussis à lui parler.

— Votre repentir, dis-je, est désormais inutile. Si vous aviez écouté la voix de votre conscience et si vous aviez obéi au remords, si vous n'aviez pas poussé à l'extrême votre soif de vengeance, Frankenstein serait toujours en vie !

— Mais moi aussi, je souffre, me répondit le monstre, moi aussi j'ai des remords ! Lui, poursuivit-il en désignant la dépouille, il n'a pas éprouvé la dix millième partie de mes souffrances alors que je perpétrais mes crimes ! Croyez-vous que les râles de Clerval ont été doux à mes oreilles ? Mon cœur était fait pour susciter l'amour et la sympathie et, quand j'ai été forcé de me tourner vers le mal et de haïr le monde, je l'ai fait au prix de tourments inimaginables ! Après l'assassinat de Clerval, je suis retourné en Suisse, l'âme meurtrie. J'avais pitié de Frankenstein et ma pitié me faisait horreur. Je me suis détesté ! Mais quand j'ai appris que lui, le créateur à qui je devais mon indicible détresse, aspirait au bonheur, quand j'ai découvert qu'il recherchait la paix dans des sentiments et des émotions que je ne pouvais connaître, la jalousie et une profonde indignation ont inspiré ma vengeance. Je me suis souvenu de la menace que j'avais proférée et j'ai décidé de la mettre à exécution. Je savais que j'allais augmenter mes tortures, mais j'étais l'esclave d'une pulsion que j'abominais mais à laquelle je devais obéir. Mais lorsque la jeune femme est morte, je n'ai rien ressenti ! J'avais chassé tout sentiment, évacué tout scrupule pour mieux jouir de mon désespoir. Accomplir mes desseins démoniaques devint pour moi une passion insatiable. Et maintenant, elle est consommée devant ma dernière victime !

Tout d'abord, je fus touché par ces paroles qui étaient l'expression de sa détresse. Puis je me souvins que Frankenstein m'avait parlé de son éloquence et de son pouvoir de persuasion et, tandis que mon regard tombait de nouveau sur le corps de mon ami, mon indignation fut à son comble.

— Misérable ! m'écriai-je. Comment avez-vous l'audace de venir vous lamenter sur un désastre dont vous êtes l'auteur ? Vous jetez une torche enflammée sur un groupe de maisons et, lorsqu'elles ont brûlé, vous venez vous asseoir sur les ruines et vous en pleurez la disparition ! Vil hypocrite ! Si celui qui vous chagrine tant vivait encore, il serait toujours l'objet de votre immonde vengeance. Ce n'est pas de la pitié que vous ressentez. Vous vous lamentez uniquement parce que la victime de vos instincts pervers n'est plus sous votre empire !

— Ce n'est pas vrai, ce n'est pas vrai, dit-il en m'interrompant, bien que je comprenne ce que vous inspirent mes actes. Je ne vous demande pas de compatir à ma misère. Jamais je n'ai trouvé de la sympathie ! Aujourd'hui, quels sentiments pourrais-je partager ? Tant que dureront mes souffrances, je souffrirai seul ! À ma mort, l'horreur et l'opprobre survivront à ma mémoire. Autrefois, mon imagination tissait des rêves de vertu, de gloire et d'allégresse. Autrefois, j'espérais rencontrer des êtres qui, oubliant ma laideur, m'aimeraient pour mes qualités. Mais le crime m'a dégradé et m'a rabaissé au rang de l'animal le plus vil. Aucune faute, aucun mal, aucune perversité, aucune détresse n'est comparable aux miens. Il en va ainsi. Les anges déchus deviennent les démons du mal. Et pourtant même les ennemis de Dieu et des hommes trouvent dans l'abjection des amis et des partenaires. Moi, je suis seul. Vous qui appelez Frankenstein votre ami, vous semblez connaître mes crimes et mes infortunes. Mais il y a une chose qu'il n'a pas pu vous décrire, ce sont les heures, les mois de misère que j'ai vécus, rongé par mes passions dévorantes ! Et j'ai eu beau détruire les espérances de mon créateur, je n'ai jamais pu satisfaire mes propres désirs, toujours aussi ardents et toujours inassouvis. Pourquoi cette injustice ? Suis-je donc le seul fautif alors que l'humanité entière a péché contre moi ? Pourquoi ne pas haïr Félix qui a refusé mon amitié et m'a fermé sa porte ? Pourquoi ne pas détester le paysan qui a voulu tuer celui qui avait sauvé son enfant ? Non, ce sont tous des êtres vertueux, sans taches, eux ! Et moi, moi je suis misérable et abandonné, je ne suis qu'une créature mal finie qu'on méprise, qu'on refoule et qu'on bafoue ! En me rappelant ces injustices, le sang me boue encore dans les veines.

« Oui, c'est vrai que je suis misérable ! J'ai tué des êtres sans défense, j'ai étranglé un innocent dans son sommeil, j'ai assassiné une femme qui n'avait jamais rien fait de mal, ni à moi ni à personne. Oui, j'ai voué à la misère mon créateur, un homme exceptionnel qui aurait dû inspirer le respect et l'admiration de ses semblables. Je l'ai poursuivi jusqu'à ce qu'il devienne cette lamentable dépouille. Il est là, dans le froid de la mort ! Vous me haïssez, mais votre dégoût ne peut pas égaler celui que je ressens pour moi-même. N'ayez pas peur, je ne serai plus l'instrument d'autres forfaits. Ma tâche est désormais accomplie. Ni votre mort ni celle d'aucun autre homme n'est à présent nécessaire pour que s'achève mon destin ! Ma vie seule suffit. Soyez assuré que je vais très bientôt effectuer ce sacrifice. Je quitterai votre vaisseau sur le radeau de glace qui m'a conduit et je gagnerai l'extrémité la plus septentrionale du globe. Et là, je réunirai tout ce qui peut brûler pour édifier mon bûcher funéraire et réduire en cendres ma misérable carcasse. Ainsi, mes restes ne pourront jamais éveiller la curiosité dans le cerveau d'un homme qui voudrait créer un être qui me soit semblable. Je vais mourir. Je ne connaîtrai plus jamais les tourments qui m'ont rongé, ni ces rêves impossibles. Celui qui m'a appelé à la vie est mort, et quand moi-même je ne serai plus, notre souvenir à tous les deux s'évanouira pour toujours. Je ne contemplerai plus le soleil ni les étoiles, je ne sentirai plus le vent sur mon visage. Lumière, sentiments, sensations, tout sera éteint. C'est à ce prix que je trouverai le bonheur. Il y a des années, quand pour la première fois les images du monde se sont présentées à moi, quand j'ai senti la réconfortante chaleur de l'été, quand j'ai perçu le bruissement des feuilles et les chants des oiseaux, tout m'était cher et je n'aurais pas voulu mourir. À présent, la mort est mon unique consolation. Empoisonné par mes crimes, tiraillé par le remords le plus amer, où pourrais-je trouver le repos si ce n'est dans la mort ?

« Adieu ! Je vous quitte, vous êtes le dernier être humain que j'aurai vu. Adieu, Frankenstein ! Si tu vivais toujours, si tu nourrissais toujours contre moi ta soif de vengeance, c'est en me laissant vivre qu'elle aurait été le mieux assouvie ! Mais ce n'est pas ainsi que les choses se sont passées ! Tu voulais me détruire pour que je ne cause pas davantage de désastres. Et pourtant, sache que tu n'aurais pas trouvé une meilleure vengeance que celle que je subis en ce moment. Oui, tu as souffert, mais pas autant que moi, car le remords ne cessera de fouailler mes plaies que lorsque la mort les aura cicatrisées pour toujours ! Bientôt, cette détresse qui me consume prendra fin ! Je vais monter triomphalement sur mon bûcher funéraire et j'exulterai dans la torture des flammes. Puis leur éclat s'éteindra et mes cendres seront balayées par le vent jusqu'à la mer. Mon esprit dormira en paix. Adieu !

Après avoir prononcé ces mots, il bondit par la fenêtre de la cabine et sauta sur le radeau de glace qui flottait près du navire. Il fut bientôt emporté par les vagues et disparut dans les ténèbres.

Composé par Nord Compo
à Villeneuve-d'Ascq

Imprimé en France sur Presse Offset par

BRODARD & TAUPIN

GROUPE CPI

32582 – La Flèche (Sarthe), le 04-11-2005
Dépôt légal : novembre 2005